神崎恵のおうちごはん

——さあ、なに食べる？

扶桑社

「きょう、なにを作ろう?」

母親になり、24年がたちますが、毎日この言葉を繰り返しています。

朝起きて、天気や気温を確認して、

「寒いから、おうどん?」

「暑くなりそうだから、焼き魚とご飯でしっかり食べてもらおうか?」と考えながらキッチンへ。

お弁当は、できるだけ好きなものを詰めます。

学校や仕事、楽しいことだけじゃない一日の中で、お昼ごはんが、いい息抜きや頑張る力になればいいなと。

栄養のバランスも考えながらも、ちょっと甘めに息子たちの好きなものをギュッと詰める。蓋を開けた時の顔を想像すると、正直「ラクじゃないわぁ」と思ってしまうお弁当作りの時間も、やりがいのある時間になります。

仕事からの帰り道、まさに、私の頭の中は、

「さあ、なに作る?」一色!!

冷蔵庫の中にあるものを思い浮かべて、買い足さなきゃならないものをリストにし、スーパー直行。早足で買い物を終え、後半戦へ突入します。

夜ごはん、たぶんここが一番大変。

一日の栄養バランスの最終調整をしながら、「きょうも一日お疲れさま!」と、おいしいごはんで息子たちを癒したり、元気づけたりしたいと思うんです。

だからこのバランス、結構頭を使います。

いろいろ献立を作り続けた中で、

「これはちょっと、ラクだな」と思っているのが、1週間の中で、だいたいのメインを決めておくこと。たとえば、

月曜日　牛肉
火曜日　魚
水曜日　鶏肉や豚肉
木曜日　パスタや麺
金曜日　ひき肉
土曜日　海鮮
日曜日　好きなもの!

という感じに、まず主役を決めると、献立が立てやすくなります。

そして、自分が毎日食卓にごはんを並べる役割になってから、あらためて母の偉大さを感じています。

毎日、どんな日も、当たり前のようにキッチンに立つ姿。あれは、当たり前なことじゃなかったんだ。と、今だからわかります。

疲れた日も、体調がすぐれない日も、気持ちが沈む日もあっただろうに、毎日毎日家族が喜ぶ「おいしい」をずらりと並べてくれていた母。

母のごはんに、安心や元気をもらっていたんだなと気づくんです。

好きなものが並ぶ日は、それだけでなんだかウキウキしたし、頑張らなきゃならない日の朝は、大好きなクレープが並んでた、友だちとケンカした日、いやなことがあった日は、ごはんが気持ちを温めてくれたことを思い出します。

どんな朝も、どんな夜も、母のごはんがあって、食べるとなんだかほっとする。そうやって私は守られてきたんだなと、思うのです。

本当のところ、私は料理が好きではありません。

気の向いたときだけちょこっと作るくらいなら楽しいかもしれないけれど、毎日となると、やはりしんどい。

でも、いいこともあるんです。

ごはんを食べながら、「きょう、あったこと」「きょうの気持ち」をポロポロと話してくれる幼い息子。親との距離が難しい思春期は、言葉はなくとも、食の進み具合や食べ方で息子たちの体調や心具合がわかります。

それぞれの時間を持つようになっても、ごはん、という時間が、家族が輪になる時間になる。

なにより、息子たちの食べる姿は私に力と元気をくれます。

だから、作るならやっぱりおいしく、息子たちが喜ぶものを作りたいなぁと思うんです。

この本では、できれば料理を作りたくない私のキッチンでの日常が詰まっています。

「どうしたら簡単にラクして、おいしいものを作れるか」ちょっとした工夫もご紹介しています。

料理は苦手、でも作らなきゃならない。

そんな、仲間のみなさまと、一緒に頑張っていける本になれたら、とてもうれしく思います。

神崎 恵

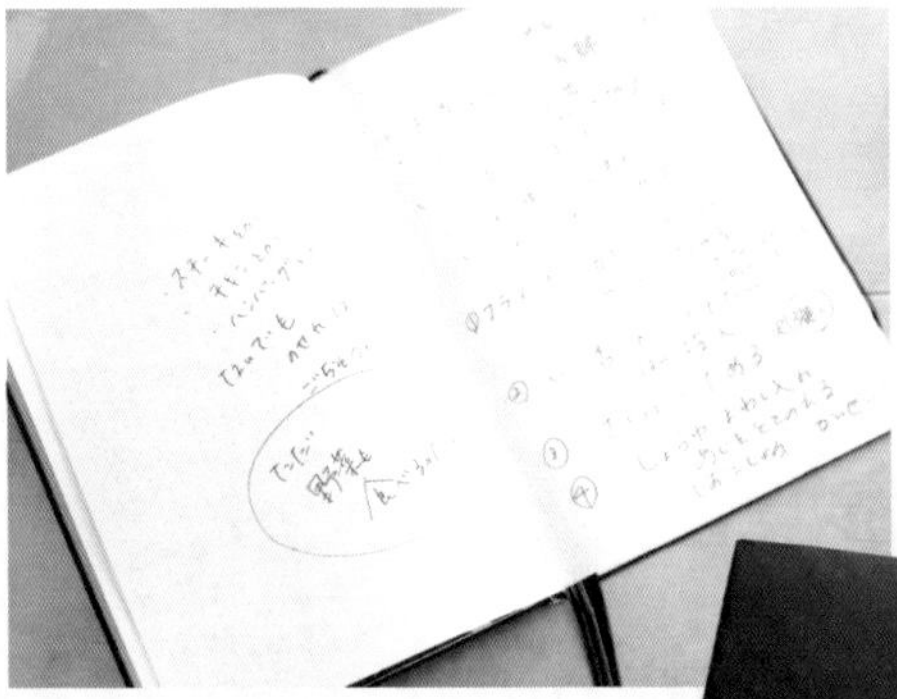

息子たちに残せるようにメモ書きしたレシピノート。これで3冊目。

CONTENTS

02　「きょう、なにを作ろう」

06　PART 1

揚げものは万能です！—揚げればなんでもおいしくなります

豚のヒレカツ／豚のミルフィーユカツ／鶏のささみの明太ロールカツ／椎茸コロコロメンチカツ／鶏のから揚げ2種／春巻き

16　PART 2

毎日、フライパンが大活躍！—焼く、煮る、炒めるで、手早く作ります

フライパン肉じゃが／ガリバタチキン／チキンのクリームソース／スパイシーチキン／レモンバターチキン／照り焼きチキンサラダ／れんこんつくね／豚しゃぶなす味噌丼／豚のしょうが焼き／サーモンのムニエル タルタルソース／メカジキの粒マスタードソース／メカジキの照り焼き／金目鯛の煮つけ／ビーフカツ チーズ風味／エビマヨ／カルボナーラ／なすのトマトソース／ブロッコリーとシラスのペペロンチーノ／卵スープ／キムチチャーハン／高菜明太チャーハン

42　PART 3

作る時は大量に！わが家の定番料理 —冷凍したり、応用したりのお役立ちレシピ

ハンバーグ／煮込みハンバーグ／うちのカレーライス／キーマカレー／ロールキャベツのコンソメ味／ロールキャベツのクリーム風味／ロールキャベツのグラタン／ロールキャベツのトマト味／ロールキャベツのミートソース

54　PART 4

もう一品も大事です！—野菜も食べてほしいから、ひと工夫

きんぴら5種／ごぼうのきんぴらの卵炒め／ズッキーニのナムル／ブロッコリーのアーリオ・オーリオ／れんこんのチーズ焼き／野菜の簡単揚げびたし／春雨炒め／ポテトグラタン／マッシュポテト／ジャーマンポテト／ゆで卵の香味だれ漬け／シラスパイ／ガーリックトースト／ガーリックめし／シンプルサラダ／スティックサラダ／鶏と水菜のあえもの／いんげんの明太子あえ／きゅうりのピリ辛マリネ／韓国風お味噌汁／とん汁

74　PART 5

おはよう、なに食べる？—ご飯？パン？おかゆ？食べたいもので始める朝

だし巻き卵／目玉焼き／ゆで卵／おかゆ4種／ホットサンド／紫キャベツのマリネ／クロワッサンのクイニーアマン風／フルーツのオープンサンド／フレンチトースト

84　PART 6

お弁当、なに食べたい？—「がんばれ！」を箱の中に。ガッツリ男子弁当

三色そぼろ弁当　肉の味噌漬けのせ／ステーキ弁当／揚げ鶏のねぎソース弁当／ガーリックシュリンプ弁当

90　PART 7

きょう、なに食べる？—家族が揃う日のメニュー

ビーフシチューの献立／なすの揚げびたしの献立／冷やしうどんの献立／マーボー豆腐の献立／ローストビーフ／トマトすき焼き鍋／豚しゃぶの鍋3種

106　おまけ

私、なに食べる？—美と体調を整えるレシピを少しだけ

私の朝食はジュースかスムージー／体と心を整えるスープ3種／調整サラダ2種

112　キッチンメモ　食器と小物
114　キッチンメモ　わが家の基本調味料
115　キッチンメモ　よく使うキッチン道具
116　キッチンメモ　美容と健康
117　epilogue
118　料理の作り方INDEX

この本のレシピ表記について

●材料の小さじ1は5mℓ、大さじ1は15mℓ、1カップは200mℓ、1合は180mℓです。
●材料の量は目安です。特に野菜は個体差があるので、少し多め、少し少なめなどは使いきってください。調味料も鍋やフライパンなども大きさや素材によって水分の量も変わります。最後に味見をして、味付けを調整してください。
●野菜の「洗う」「皮をむく」などの下処理は基本的に省略してあります。
●私が使っている基本調味料は、p.114に一部ご紹介しています。サラダ油は米油、砂糖は三温糖、酒は料理酒（無塩）を使用、塩とこしょうは、塩こしょうで製品になっているものを使っています。それぞれサラダ油、清酒、塩とこしょうで代用できます。
●特に記載がない火加減は中火が目安です。
●電子レンジやオーブン、オーブントースター、鍋もメーカーや機種によって加熱する時間が異なりますので、目安として、様子を見ながら加減してください。

揚がってくると
泡の大きさが
小さくなってくる!

PART 1

揚げものは万能です！

——揚げればなんでも おいしくなります

揚げものは天才。
衣をつけて揚げれば、なんだっておいしくなる。
毎日の食卓も、お弁当も、揚げものの存在感と
おいしさに助けられています。
「揚げものって大変じゃない？」とよく言われますが、
このタイパ、コスパ、おいしさを知ってしまうと、
「こんなに簡単においしいが
でき上がるのなかなかないよ！」と即答です。
簡単だからこそ、あれこれ試し、
工夫してたどり着いたのがこの衣のバランス。
下味をつけたら5～10分くらいおいて味をしみ込ませる、
卵液にくぐらせる前に薄力粉を軽くつける、
卵と薄力粉は混ぜておく、パン粉は生パン粉、
いろいろとおいしいルールができました。
たまには、パン粉の代わりに砕いたコーンフレークにしたり、
そんなアレンジも楽しんでいます。

わが家のとんカツはヒレ肉で作ります。
かたまりのヒレ肉を2～3本用意して
全部に衣をつけ、
その日に食べない分は冷凍に。
揚げたては定番のせん切りキャベツに
レモンを添えて。
とんかつソースはたっぷりと。
からしとすりごまを
つけて食べるのもおいしいです。

アツアツサクサクの
とんカツ！

パン粉をつけて揚げると、なんでもおいしくなるから助かります！
サクサクさと肉の旨みを逃さないための私のこだわりは、卵衣とパン粉選びにあります

豚のヒレカツ

［材料］12～14枚分

豚ヒレ肉かたまり…約400g×2本
塩こしょう…適量
薄力粉（顆粒）…適量
〈卵衣〉
　卵…3個
　薄力粉…大さじ5
生パン粉…200g
揚げ油…適量
キャベツのせん切り…適量
レモンのくし形切り…4個
とんカツソース、白炒りごま、
七味唐辛子など…好み

［作り方］

1. 豚肉は4～5cm厚さに切り(**a**)、肉叩きで半分ぐらいに薄くしてから(**b**)、また元の形に整える。
2. 両面に塩こしょうをふり、5分おく。薄力粉（顆粒）を全体に薄くふる。ボウルに卵衣の材料を入れて混ぜる(**c**)。
3. 2の豚肉を卵衣にくぐらせたらパン粉をつける(**d**)。その日食べる分以外は冷凍に。
4. 揚げ油を熱し、3を入れ、中に火が通りきつね色になるまで揚げて、油をきる。
5. 器にキャベツとカツを盛り、レモン、とんカツソースなどを添える。

a
豚肉は4～5cm厚さに切る。ペーパータオルを敷いた上で切ると後片付けがラク！

b
肉叩きで叩くとやわらかく仕上がる。少し形を整えて衣をつける。

c
卵だけより卵衣に。肉の旨みが逃げず、パン粉もはがれにくい。

d
薄力粉、卵衣、パン粉の順に衣をつけて、揚げる。

Memo

パン粉は、粗めの生パン粉を使います。冷凍する場合は、下にパン粉を敷き、さらに上からもかけて包むこと。こうすると、冷凍を揚げてもサクサクに仕上がります。

■献立にするなら

ヒレカツには、野菜の簡単揚げびたし（p.60）、ズッキーニのナムル（p.58）、いんげんの明太子あえ（p.71）、豆腐となめこのお味噌汁、玄米ご飯

薄切り肉の間にチーズをたっぷり挟みます。

豚のミルフィーユカツ

ブラックペッパーや青じそ、
にんにくスライスを
一緒に挟んでもおいしい！

［材料］4枚分
豚ロース薄切り肉
…500g（約20枚）
スライスチーズ…4枚
塩こしょう…適量
薄力粉（顆粒）…適量
〈卵衣〉
卵…2個
薄力粉…大さじ3
生パン粉…100g
揚げ油…適量
クレソン…適量

［作り方］
1. チーズは4等分に切る。豚肉を5枚広げ、4枚にチーズを1切れずつのせる。これを重ねて(**a**)、最後に残りの豚肉をかぶせ、表面に塩こしょうをふる。残りも同様にする。
2. 卵衣を混ぜる。
3. チーズが肉からはみ出ないように形を整えて、薄力粉（顆粒）を全体に薄くふり(**b**)、卵衣、パン粉を順につける(**c**)。
4. 揚げ油を熱し、3をこんがりときつね色に揚げる。肉に火が通ればOK。
5. 油をきり、少し落ち着かせてから切り分けて器に盛る。クレソンを添える。

重ねて、最後に残りの肉をかぶせ、チーズがはみ出ないように整える。

薄力粉を表面全体にふってから、卵衣をつける。

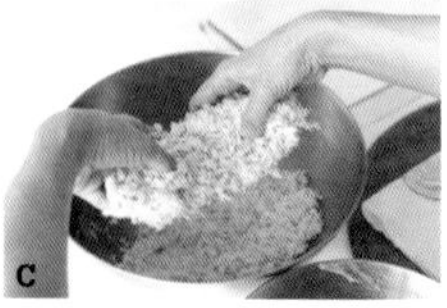

パン粉をつけたら、揚げ油に入れて、きつね色に揚げる。

椎茸の分もあるので
塩こしょうは
少し強めにね〜

野菜も食べられるメンチカツ。
ピーマンやパプリカ、なすでも作ります

椎茸コロコロメンチカツ

[材料] 12個分

A
- 豚ひき肉…200g
- 長ねぎのみじん切り…大さじ2
- おろししょうが…小さじ1
- 酒…大さじ1
- しょうゆ…小さじ1
- 塩…小さじ½
- こしょう…少々
- 卵…½個（残りは卵衣に利用）

椎茸…12個
薄力粉（顆粒）…適量
〈卵衣〉
- 卵…2個
- 薄力粉…大さじ3

生パン粉…100g
揚げ油…適量
塩、とんカツソース…好み

[作り方]
1. ボウルに卵衣の材料を混ぜる。別のボウルに**A**を入れてよく練り、12等分して丸める。
2. 椎茸は軸を取って薄力粉（顆粒）をふる。1の肉をのせ、ギュッと握って形を整える。
3. 2の全体に薄力粉（顆粒）をふり、卵衣、パン粉を順につける。
4. 揚げ油を熱し、3をきつね色に揚げる。中まで火が通ったら油をきる。半分に切る。
5. 器に盛り、塩、とんカツソースを添える。

あっさりした鶏ささみはアレンジ無限。
明太マヨのほか、梅肉やチーズも

鶏ささみの明太ロールカツ

[材料] 8本分
鶏ささみ…8本
辛子明太子…1腹（2本）
マヨネーズ…大さじ1〜2
青じその葉…8枚
薄力粉（顆粒）…適量
〈卵衣〉
- 卵…2個
- 薄力粉…大さじ3

生パン粉…100g
揚げ油…適量
レモンの小切り…8枚

[作り方]
1. 明太子は薄皮を取り、マヨネーズと混ぜる。
2. ボウルに卵衣を混ぜる。青じそは軸を切る。鶏肉は、筋を取り、縦に切り込みを入れて左右に開く。肉叩きで厚さを均一にする。
3. 2の鶏肉に1を小さじ2ずつ塗り、青じそをのせる。細いほうからくるくると巻き、巻き終わりを下にしておき、薄力粉（顆粒）を全体にふる。
4. 軽くぎゅっと握り、余分な空気を抜く。卵衣、パン粉の順に衣をつける。
5. 揚げ油を熱し、4をきつね色に揚げる。中まで火が通ったら油をきる。
6. 半分に切って器に盛る。レモンをのせる。

塩味には、青じそや山椒、
チリマヨ、ごま油＋ねぎ、
なんでもトッピング

サクッとふわふわで、ジューシー。
「今まで食べたから揚げの中で一番おいしい!!」と友人に大絶賛されたレシピです！

鶏のから揚げ2種

［材料］作りやすい分量

▶塩味

鶏もも肉…1枚

A
- 砂糖…小さじ½
- マヨネーズ…小さじ1

B
- 卵白…1個分
- おろしにんにく…小さじ1
- 塩…小さじ1と½

青のり…適量

▶しょうゆ味

鶏もも肉…1枚

A
- 砂糖…小さじ½
- マヨネーズ…小さじ1

C
- 卵白…1個分
- おろしにんにく…小さじ1
- おろししょうが…好みで
- しょうゆ…大さじ2〜3
- 酒…大さじ1

〈粉〉
- 片栗粉とコーンスターチ 2：1ぐらいの割合…適量

揚げ油…適量

レモンのくし形切り、山椒塩、マヨネーズなど…適量

［作り方］

1. 鶏肉はひと口大に切って**A**をもみ込み、15分以上おく(**a**)。粉は合わせて混ぜる。
2. 1の鶏肉に**B**か**C**を加え混ぜ、さらに30分〜ひと晩おく。
3. 粉をまんべんなくつける(**b**)。
4. 揚げ油を中温（約170℃）に熱し、余分な粉をはたいて入れ、3〜4分して薄く色づいたら一度取り出す。次に高温（180〜190℃）にして鶏肉を戻し、1分ぐらいカラッときつね色に揚げて、油をきる。
5. 塩味は揚げたてに青のりをふって、器に盛り、好みでレモンを添える。
6. しょうゆ味は器に盛り、レモン、山椒塩、マヨネーズを添える。

a
鶏肉は下味の砂糖とマヨネーズをよくもみ込んで15分以上おく！

b
粉は全体にたっぷりつけ、余分ははたき落としてから揚げ鍋へ。

Memo

から揚げの衣には卵白だけを使います。残った卵黄は、煮きってアルコール分を飛ばしたみりん小さじ1としょうゆ小さじ2を混ぜた液に漬けて冷蔵庫に。これを翌朝の卵かけご飯にすると最高！

鶏肉は煮込む時以外、
とにかく下準備が大事！
砂糖とマヨネーズをまぶして
15分以上おく。味をつけて
さらに30分〜ひと晩漬け込む。
これで冷めてもやわらかく
ジューシーな仕上がりに。
粉はコーンスターチを混ぜると
サクッと軽く揚がります。
二度揚げすると、さらに
外はサクッ、中はジューシーな食感に。

残ったら、
ハニーマスタードや
エビチリソース、
酢豚のソースにからめても

息子たちはおやつ感覚で
無限に食べ続けます
冷めてもおいしいので
お弁当にも！

なにをつけてもおいしい！　塩やホアジャオ（花椒）、カレーケチャップを添えても。いろいろ試しておいしかったものは、リピート。

なにを巻いて揚げてもおいしい！ 春巻きって優秀です！
冷蔵庫にあるものを組み合わせる楽しさ!!

春巻き

[材料] 10本分
春巻きの皮…1袋（10枚）

▶トマトとチーズ、バジル
ミニトマト…4個
バジルの葉…2枚
スライスチーズ…2枚
塩こしょう…適量

▶エビと長いも、青じそ
エビのむき身…40g
A しょうがのせん切り・ごま油・しょうゆ・片栗粉…少々
長いも…4cm長さ×4本
青じその葉…2枚

▶鶏ささみとチーズ
鶏ささみの薄切り…1本分
スライスチーズ…1枚
塩…少々
粗びき黒こしょう…少々

▶長いもとチーズ
長いも…4cm長さ×2本
スライスチーズ…1枚
塩…少々
粗びきこしょう…少々

▶豚とチーズ
青じその葉…2枚
豚肩ロース薄切り肉…2枚
スライスチーズ…1枚
塩…少々

揚げ油…適量

[作り方]

1. むきエビは、2〜3等分して、しょうがとごま油、しょうゆ、片栗粉を混ぜる。
2. 春巻きの皮にそれぞれの組み合わせで包みやすいように切り、具をのせる。青じそ入りはまず葉で巻いてから皮で包むようにする。巻き終わりの皮の部分に水をつけてとめる。
3. 中温の揚げ油に春巻きを入れてカリッときつね色に揚げる。チーズが溶けてでてくるので、1回裏返すくらいで、あまりいじらないことがポイント。
4. 揚げ網の上にとって油をきり、器に盛る。

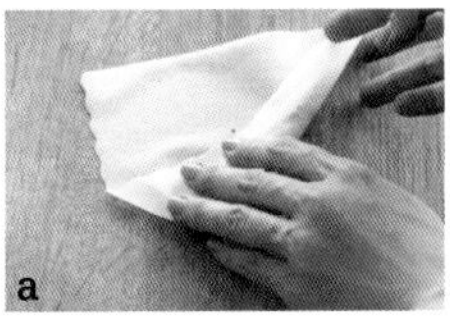

春巻きの皮は小さめを選んで。手前、両端を折ってから巻く。

入れたらじっと色づくまで待つ。周囲が色づいたら裏返す。

Memo

春巻きの皮は水溶きの小麦粉か片栗粉でくっつけると書いてあるけれど、私は水で。ひとつ面倒な手間が省けます！

毎日、フライパンが大活躍！

——焼く、煮る、炒めるで手早く作ります

わが家のキッチン。
フライパンを使わない日はほぼありません。
サイズや形、深さ違いのものを数種類揃え、
毎日フル稼働。
朝の目玉焼きから、夜の焼き物、炒め物まで、
フライパンたちが
わが家の食卓を支えてくれているといっても
大袈裟ではないほど。頼りになります。
「ただ焼く」だけでも、なにで焼くかで
おいしさが変わることを知ってから、
フライパンはより吟味して選ぶようになりました。

PART 2

へたへたになって帰宅し
「もうごはん作りたくないー!!」
という日も、
火をつけて焼くだけで
息子たちの「おいしい!!」が聞ける。
本当に助かっています。
肉や魚はもちろん、肉じゃが、パスタ、
カツレツ、なんでもこい！の
フライパンでできる料理、
いくつか覚えておくだけで、
かなりラクになります。

わが家は
肉じゃがもフライパンで
作ります！

私の母から伝授されたレシピです。
強めの中火で一気に仕上げるので、
作り始めたら仕上がりまで目が離せない！
手も離せない！
焦がさないよう集中!!

フライパンで、炒めるように作る汁なし肉じゃがは、こっくりほくほくに仕上がります。
こってりしっかり味は、ご飯がすすむ!!

フライパン肉じゃが

［材料］4人分
牛薄切り肉…300g
玉ねぎ…2個
にんじん…1本
じゃがいも…5個
砂糖…大さじ3
しょうゆ…大さじ4
みりん…大さじ3
ごま油…適量

［作り方］
1. 玉ねぎは縦半分に切ってから1㎝幅に、にんじんは乱切り、じゃがいもはひと口大に切る。牛肉は3等分に切る。
2. フライパンにごま油大さじ1を強めの中火で熱し、玉ねぎ、にんじん、じゃがいもを入れて炒める。全体にうっすら焼き色がついたら、ボウルに取り出し(**a**)、牛肉を炒める。
3. 肉の色が変わったら、炒めた野菜を戻し(**b**)、砂糖、しょうゆ、みりんを加え、からめ混ぜるように炒める。蓋をして強めの中火のまま10～15分、じゃがいもがやわらかくなる前に水分がなくなりそうになったら、水を少し足しながら炒めるのがポイント。野菜に火が通り、じゃがいもがほっこりしたら蓋をはずし、つやよく炒め上げる(**c**)。
4. 味を調え、好みでごま油大さじ1を回しかけ、混ぜたら、器に盛る。

a
火加減が大事、強めの中火で！
野菜を先に炒めて、取り出す。

b
肉を炒めたら野菜を戻し、味つけして蓋をし、野菜に火を通す。

c
最後は蓋をあけ、一気に汁気がほとんどなくなるまでからめる。

Memo
香りがよくておいしいごま油が大好き！　このフライパン肉じゃがの仕上げにもかけるとコクとつやがでて、さらにご飯が進みます！

■献立にするなら

肉じゃがには、お刺身やアスパラのきんぴら(p.56)、れんこんのチーズ焼き(p.59)、お味噌汁とご飯を添えて。

お肉の中でも、わが家で人気なのが鶏肉料理。
味付けの幅も広く、栄養のバランスもいいので、
焼いたり、ゆでたり、煮たり、揚げたりと、
あの手この手で食卓に並びます。
やわらかくジューシーで
ぎゅっとした噛み応えがおいしい鶏肉。
硬くなって味わいが落ちないよう、
調理前に砂糖とマヨネーズをよくもみ込み、
時間をおくのがわが家のルール。
そのおかげで、できたても、冷めても、
お弁当に入れても、やわらかくおいしい！
トレーニングで体づくりが基本の私も、
鶏肉は大好物。
ささみやむね肉をアレンジして、
おいしくヘルシーに食べています。
筋や余分な脂をとる、ちょっと面倒だけれど、
この下準備もおいしさのコツ。

Memo

・肉や魚介を焼く場合は、表面に小麦粉をまぶすと、素材の旨みが逃げず、たれやソースも絡みやすくなります。
・まぶす用の粉は、薄力粉の顆粒タイプが便利。そのまま片手でふれるので簡単です。

にんにくとバター、おしょうゆのおいしい香りは、これだけでもご飯がすすむ。
にんにくは途中、肉の上にのせながら焼きます。黒く焦げないように気をつけて！

ガリバタチキン

［材料］2枚分

鶏むね肉…2枚

A
- 砂糖…小さじ1
- マヨネーズ…小さじ2

にんにく…4片

塩こしょう…少々

薄力粉（顆粒）…適量

バター…40g

B
- 砂糖…大さじ1
- しょうゆ…大さじ2
- オイスターソース…小さじ1

クレソン、レモンのくし形切り…適量

粗びき黒こしょう…少々

［作り方］

1. 鶏肉は**A**をよくもみ込んで15分以上おいてから、同じ厚さのひと口大のそぎ切りにする。にんにくはつぶす（**a**）。**B**は混ぜておく。
2. 1の鶏肉の汁気を拭き（**b**）、塩こしょうする。薄力粉をまぶし、余分な粉ははらう。
3. フライパンにバターとにんにくを入れて熱し、香りが出たら2の鶏肉の皮目を下にして入れる。にんにくは焦げないように肉にのせながら焼く（**c**）。
4. 焼き色がついたら裏返し、両面を焼いて中まで火が通ったら**B**を加え、全体にからめる。
5. 器に盛り、粗びき黒こしょうをふり、クレソンとレモンを添える。

にんにくは肉叩きなどでつぶす。こうすると香りがよく出る。

下味をつけた鶏肉は、汁気を拭いてから、味つけする。

にんにくが焦げないように鶏肉の上にのせながら様子を見て焼く。

フライパン料理には食材がしっかりつかめるので調理や盛り付けによくトングを使います。これは食卓にも出せるタイプ。調理用も大小で揃えています（p.115）。

鶏肉の下準備をすれば、やわらかジューシーな焼き上がり。
クリームソースは白くきれいに仕上げたいので、野菜は焦がさないように炒めます

チキンのクリームソース

[材料] 2枚分

鶏むね肉…2枚

A
- 砂糖…小さじ1
- マヨネーズ…小さじ2

〈クリームソース〉
- 玉ねぎの薄切り…1個分
- セロリの薄切り…1本分
- 顆粒コンソメ…少々
- 生クリーム…200mℓ
- バター…60g

サラダ油…大さじ1

塩こしょう…適量

粗びき黒こしょう…少々

クレソン…適量

[作り方]

1. 鶏肉は中央から開いて厚さを均一にする。**A**をよくもみ込んで15分以上おく。
2. 汁気をよく拭き取り、塩こしょうをふる。
3. フライパンにサラダ油を熱し、鶏肉の皮目を下にして入れ、上からフライパンかヘラで押さえるようにして(**a**)、両面をこんがりと焼く(水か白ワイン少々を加えて蒸し焼きにしても○)。中まで火が通ったら、取り出す。
4. クリームソースを作る。フライパンをきれいにして、バター10gを熱し、玉ねぎとセロリを焦がさないように炒める。しんなりしたら、コンソメ、塩こしょう、生クリームを加える。煮立ったら残りのバター50gを加え混ぜる(**b**)。
5. 器に4のソースを入れ、3を食べやすく切り分けて盛る。黒こしょうをふり、クレソンを添える。

Memo

・このクリームソースはとても便利。ホワイトソースを作らなくても、生クリームとバターがあれば、簡単!豚や魚介類のソテー、パスタにも使います。きのこを入れることもあります。
・多めのバターが、おいしさの秘訣。思いきって使って。

a フライパンかヘラで押さえて、皮をのばしてパリッと焼くのがコツ。

b 最後に好みの量のバターを加え混ぜたらクリームソースの完成!

スパイシーなチキンはもも肉で。
ガーリックめしにのせ、好みでレモンをギュッとしぼって。
元気な日も、そうじゃない日も力がわいてくる味です！

スパイシーチキン

Memo

スパイスはいろいろ揃えていますが、全部なくても大丈夫。カレー粉なら、タンドリーチキン風に！

[材料] 4人分

鶏もも肉…4枚

A
- 砂糖…小さじ2
- マヨネーズ…小さじ4

B
- 塩・顆粒コンソメ・カレーパウダー・ガーリックパウダー・パプリカパウダー・クミンパウダー・オレガノ・パルメザンチーズ…各小さじ2
- 顆粒鶏ガラ…小さじ1
- 粗びき黒こしょう…少々
- プレーンヨーグルト…大さじ2

サラダ油…適量

ガーリックめし(P.67)‥‥適量

万能ねぎの小口切り…好み

レモンのくし形切り…4個

[作り方]

1. 鶏肉は、切れ目を入れて広げ、厚さを均一にする。**A**をまぶし、もみ込んで15分以上おく。
2. ボウルに**B**を入れて混ぜ、1の鶏肉を漬け、冷蔵庫で30分〜ひと晩おく(a)。
3. 焼く前に2の鶏肉を常温に戻す。
4. フライパンにサラダ油を熱し、鶏肉の皮目を下にして入れる(b)。片面が焼けたら裏返し、蓋をして蒸し焼きにする(中まで火が通りにくい場合は酒大さじ1を加える)。両面が焼けて中まで火が通ったら取り出し、食べやすい大きさに切り分ける。
5. 器にガーリックめしを盛り、4をのせ、万能ねぎを散らし、レモンを添える。

a

鶏肉に**B**をもみ込んだら、さらに30分〜ひと晩おく。

b

鶏肉はしっかり焼きつけたいので、粉はふらず、サラダ油で焼く。

たっぷり溶かしたバターにレモンをギュッとしぼるだけ。
さわやかだけどコクのある、やみつきソースのでき上がり！
お肉は厚めをしっとり焼き上げるのがおいしい

レモンバターチキン

[材料] 1枚分
鶏むね肉…1枚
A 砂糖…小さじ½
　マヨネーズ…小さじ1
塩こしょう…適量
サラダ油…大さじ½
バター…6g
〈レモンバターソース〉
　バター…100g
　レモン…1個
クレソン…適量

[作り方]
1. 鶏肉は**A**をよくもみ込んで15分以上おく。
2. 汁気をよく拭き取り、塩こしょうを強めにふる。
3. フライパンにサラダ油とバターを熱し、鶏肉の皮目を下にして入れる。こんがりと焼き色がついたら裏返し、蓋をして中まで火を通す。両面を焼いたら、器に盛る。
4. フライパンをきれいにして、ソース用のバターを熱し、溶けたら3にかける。
5. レモンを半割りにしてしぼりかけ、クレソンとともに添える。

「皮目を下にして焼くのよ」

「レモンをギュッとしぼって！」

「これで完成？」「よくできました！」

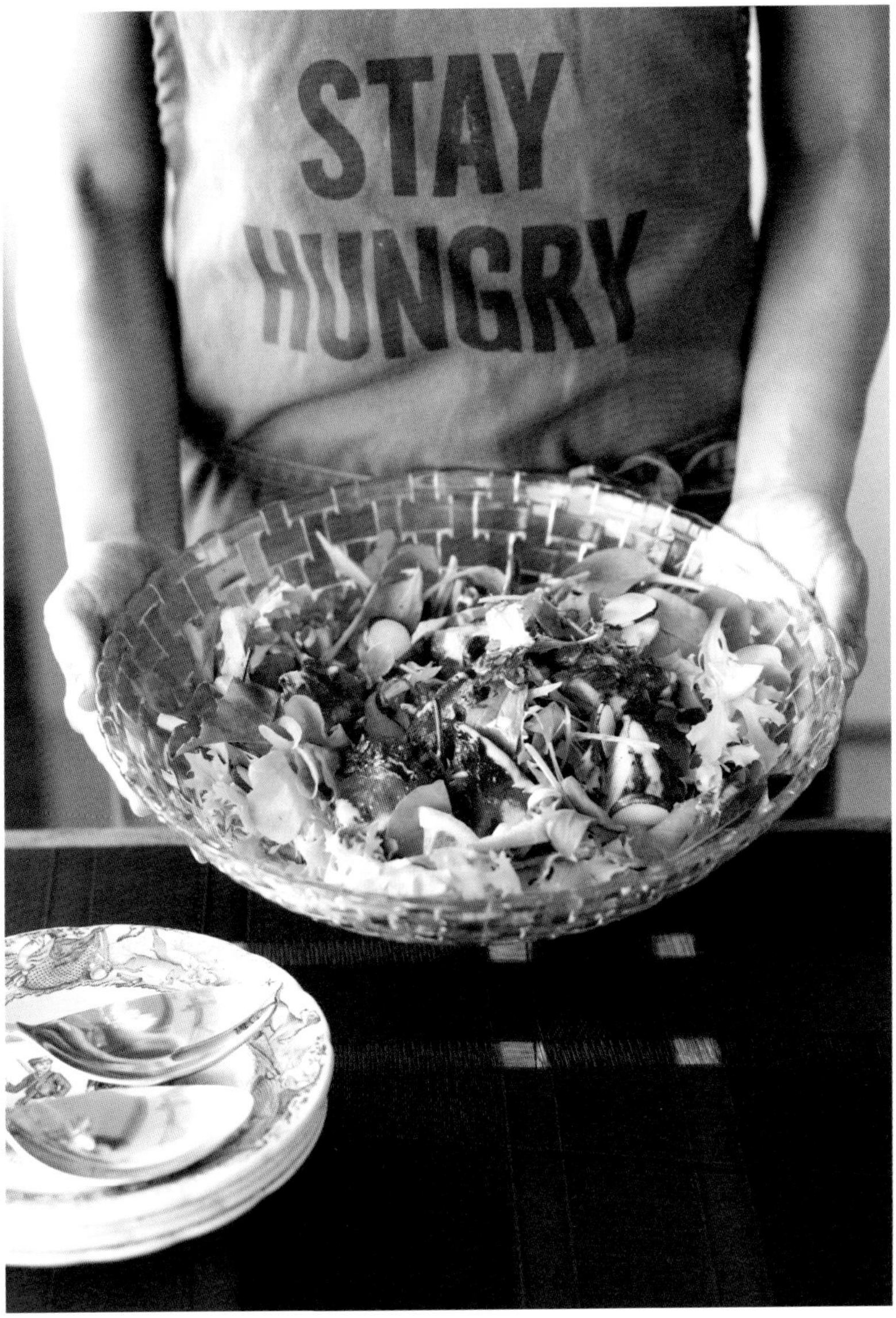

照り焼きチキンは、ご飯はもちろん、パンに挟んだり、
パイ生地にのせたりと、いろいろアレンジできるのもうれしい！

照り焼きチキンサラダ

[材料] 4人分

鶏もも肉…2枚

〈下味〉

A
- 砂糖…小さじ1
- マヨネーズ…小さじ2

B
- みりん…大さじ2
- しょうゆ…大さじ2
- 砂糖…大さじ1
- 酒…大さじ1
- にんにくの薄切り…1片分

サラダ油…大さじ½

ベビーリーフ…1袋

ブロッコリースプラウト…1パック

ラディッシュの薄切り（あれば）…適量

〈マヨネーズソース〉
- マヨネーズ…大さじ2
- めんつゆ…大さじ1

[作り方]

1. 鶏肉は、厚さを均一に切り広げてから、**A**をもみ込んで15分以上おく。
2. 汁気をよく拭き取り、**B**に漬け、冷蔵庫で30分〜ひと晩おく。
3. 焼く前に2の鶏肉を常温に戻す。
4. サラダ野菜は洗って水気をきり、冷やす。
5. フライパンにサラダ油を中火で熱し、鶏肉の皮目を下にして入れる。ヘラで押さえながら焼く。こんがりと焼き色がついたら裏返し、蓋をする。弱火にして中まで火を通す。**B**を入れ（**a**）、中火にしてたれがとろりとして全体にからんだら焼き上がり。ひと口大に切る。
6. 器にサラダ野菜とラディッシュ、5を盛り、マヨネーズソースをかける。

鶏肉に火が通ったら**B**を入れ、とろりとしたら全体にからめる。

れんこんのシャキッと感とつくねのやわらさがクセになるおいしい食感。
玉ねぎの代わりに長ねぎで作ることも。
たれと卵黄をとろりとつけて、ご飯にもお酒にも合う！

れんこんつくね

[材料] 6個分

れんこん…1節（約200g）
鶏ひき肉…300g
卵…2個

A
- 玉ねぎのみじん切り…½個分
- おろししょうが…小さじ2
- 酒…大さじ½
- 薄力粉…小さじ1
- 塩こしょう…適量

青じその葉…6枚
薄力粉（顆粒）…適量
サラダ油…大さじ1

B
- しょうゆ…大さじ2
- みりん…大さじ2
- 砂糖…大さじ1½

一味唐辛子（あれば）…好み

[作り方]

1. れんこんは皮をむき、5㎜厚さの薄切りを12枚作り、水にさらす。青じそは洗って、軸を切り、水気を拭く。卵は卵黄と卵白に分け、卵黄はそれぞれ小皿に入れる。**A**を混ぜる。
2. ボウルにひき肉と卵白、**A**を入れて、よく練り混ぜる。6等分にして丸める。
3. れんこんの水気をきって並べ、薄力粉をふる。青じそを半分に折ってのせ、上に2をのせ、れんこんの大きさまで平たくする(**a**)。もう1枚のれんこんは粉がついた面を下にしてかぶせる。
4. フライパンにサラダ油を熱し、3を焼く。焼き色がついたら裏返し、少し火を弱めて中まで火を通し(**b**)、取り出す。
5. **B**を加え、少し煮てとろみがついたら、4を戻し、全体にからめて、器に盛る。一味唐辛子と卵黄を添える。

a 青じそを半分に折ると、残り半分で肉がれんこんと密着してはがれにくくなる。

b 両面に焼き色をつけ、中までしっかり火を通したら、たれを加える。

白米ご飯との相性抜群の辛味噌味。
私も大盛りのどんぶり1杯食べてしまうほどです（笑）

豚しゃぶなす味噌丼

Memo

・私は韓国のお味噌の味が好きで料理によく使います。なければ、日本のお味噌でもおいしく作れます！

仕事で韓国に行くと、お味噌やごま油などを購入します。日本の田舎味噌に似ているスンチャンとチゲ用テンジャンが好き。

［材料］3〜4人分
ご飯…どんぶり3〜4杯分
豚肩ロースしゃぶしゃぶ用肉
…500g
なす…3本
しし唐…9〜12本
ごま油…適量
しょうがのみじん切り…1片分
にんにくのみじん切り…1片分
A
味噌…大さじ1
酒…大さじ1
しょうゆ…大さじ1
みりん…大さじ1
豆板醤…小さじ2
オイスターソース…小さじ1
ゆで卵（p.77）…2個
万能ねぎの小口切り…適量

［作り方］
1. なすは7㎜厚さの輪切り、しし唐は楊枝などで刺して穴を開ける。**A**はよく混ぜておく。
2. フライパンにごま油大さじ1を熱し、しょうがとにんにくを入れて炒める。香りが立ったら、なすを入れ、両面を焼いて取り出す。
3. ごま油を少し足し、豚肉を広げるようにして入れて、両面に焼き色をつける。
4. 2のなすを戻し入れ、**A**を加えて全体にからめる。しし唐を加え、さっと炒めて火を通す。
5. どんぶりにご飯を盛り、4と半分に切ったゆで卵をのせる。万能ねぎを散らす。
※しょうがとにんにくのみじん切りが面倒な時は、市販のすりおろしを使っても（p.114）。

■ワンプレートに

ご飯と盛り合わせたらにんじんのソテーとフルーツ（ラズベリー）を添えてランチに！
にんじんのソテーは、薄く短冊切りにしたにんじんをオリーブオイルでさっと炒め、バルサミコ酢少々と塩こしょうで味を調えました。

**しょうがとにんにくのみじん切りをたっぷり！その食感も楽しいおいしい。
しゃぶしゃぶ用の薄切り肉でやわらかく仕上げることも**

豚のしょうが焼き

［材料］4人分

豚しょうが焼き用（肩ロースかロース）肉
…20枚
しょうが…2片分
にんにく…2片分
サラダ油…大さじ1
A
しょうゆ…大さじ4
みりん…大さじ3
砂糖…大さじ2
マッシュポテト（p.63）…適量
クレソン（あれば）…適量

［作り方］

1. しょうがとにんにくはみじん切りにする。**A**は混ぜる。(**a**)
2. 肉は、室温に戻し、1枚につき脂身と赤身の間を4〜5か所切り込みを入れる。
3. フライパンにサラダ油を引き、豚肉を並べる。火をつけ、中火で両面を焼いたら、取り出す。**A**としょうが、にんにくを入れる。
4. 煮立って少しとろみがついたら、肉を戻し、全体に手早くからめる。(**b**)
5. 器にマッシュポテトをのせて4を盛り、残りのたれをかけ、クレソンを添える。

Memo

・肉は焼くとかたくなりがちなので、フライパンにのせてから火にかけるのがコツ。
・たれをしっかりからませたい時は、肉に片栗粉をまぶすといい。

a しょうがとにんにくのみじん切りはたっぷり。たれは混ぜておく。

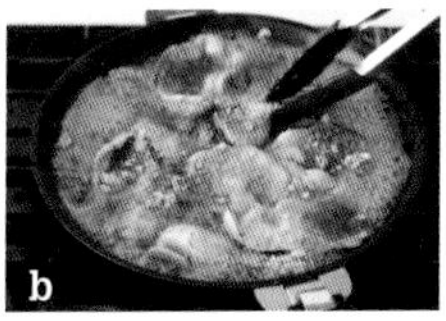

b たれが煮立ってとろみがついてきたら肉を戻してからめる。

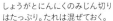

「魚が食べたい！」のリクエストも多いので、
わが家の食卓には、肉と同じくらい魚料理も登場します。
煮魚や丼もの、海鮮炒め、「和」のメニューも
人気があるけれど、ムニエルやカルパッチョ、
グラタンと洋風アレンジも「あれ食べたい」と
言ってもらえるので作りがいがあります。
ただ焼くだけの魚も、タルタル、トマト、クリーム、
一味、バルサミコ酢とソースの味を変えるだけで
おいしさも見栄えも変わるから、
「ソースだけ変える」手はよく使います（助かる！）

ふだん、子どもたちが食べない野菜を刻んでたっぷり入れてもおいしい。

フライものにもぴったりのこのタルタルース。
魚や肉のソテーに添えたり、パンにたっぷりのせて焼くのもおいしい！

サーモンのムニエル　タルタルソース

［材料］4人分
生鮭（サーモン）の切り身…4切れ
塩こしょう…適量
薄力粉（顆粒）…適量
サラダ油…適量
バター…大さじ1
〈タルタルソース〉
ゆで卵…3個
玉ねぎのみじん切り…大さじ1
野菜ピクルス（市販）…30g
マヨネーズ…大さじ2
牛乳…小さじ1
砂糖…小さじ1
塩こしょう…少々
〈付け合わせ〉
サラダ菜、レモンのくし形切り
マッシュポテト（p.63）…各適量

［作り方］
1. タルタルソースを作る。ゆで卵とピクルスはみじん切りにして、残りの材料と混ぜる。
2. 魚はペーパータオルで水気をよく拭き取り、両面に軽く塩こしょうをふる。薄力粉をつけて、余分な粉をはらう。
3. フライパンにサラダ油を熱し、2の魚を入れる。両面をこんがりと焼いたら、バターを入れる。バターが溶けたら、器に盛り、タルタルソースをかける。
4. サラダ菜とマッシュポテト、レモンを添える。

Memo
魚は調理前に水気をよく拭き取ると、臭みがなくなっておいしくなる！
タルタルソースは、パンに塗って焼いてもおいしい！さっぱりいただきたい時は、レモンとバターとしょうゆだけ。クリームソース（p.22）も合います。

トマトは火を通すと
さらに甘くておいしい

メカジキは、お肉のように食べられるので、よく使うお魚のひとつ。
チーズとトマトでひと味変えて。
塩こしょうで焼いて七味か一味唐辛子とおしょうゆをかけるだけでもおいしいです

メカジキの粒マスタードソース

[材料] 2切れ分
メカジキの切り身…2切れ
ミニトマト…10個
〈下味〉
　塩こしょう…少々
　酒…小さじ1
薄力粉…適量
サラダ油…大さじ1
バター…20g
〈粒マスタードソース〉
　粒マスタード…大さじ½
　しょうゆ…大さじ1
　白ワイン…少々
　はちみつ…小さじ½
スライスチーズ…2枚
クレソン（あれば）…適量

[作り方]
1. メカジキは下味をふって5分おく。ペーパータオルで水気を拭き取り、両面に薄力粉を薄くまぶす。トマトは半分に切る。粒マスタードソースの材料を混ぜておく。
2. フライパンにサラダ油を熱し、メカジキを入れる。両面をこんがりと焼く。色がついたら、バターを加え、溶けてからまったら、トマトを入れ、少しやわらかくなったら粒マスタードソースを加えからめて火を止める。
3. チーズをのせ、蓋をする。チーズが溶けたら、器にトマトやソースとともに盛り、クレソンを添える。

Memo

料理に使うトマトは、赤みが濃いものを選びます。ミニでも大きいトマトをスライスしてもOK。

■献立にするなら

メカジキの照り焼きにだし巻き卵(p.76)と大根おろし、れんこんのきんぴら(P.56)、野菜の簡単揚げびたし(p.60)、かぶのお味噌汁、きゅうりのピリ辛マリネ(p.71)

こってり味の照り焼きは、息子たちの好きな味つけ。
バターとからませ、コクをだせば、
「おかわり！」が聞けます

メカジキの照り焼き

[材料] 4人分
メカジキの切り身…小8切れ
〈下味〉
- 塩…少々
- 酒…小さじ2

薄力粉（顆粒）…大さじ2
サラダ油…大さじ2
A
- しょうゆ…大さじ4
- みりん…¼カップ（50mℓ）
- 酒…¼カップ（50mℓ）
- 砂糖…小さじ4

青じそ…4枚
レモンの薄切り…4枚
バターの薄切り…4枚

[作り方]
1. メカジキは下味をふり、5分おく。ペーパータオルで水気を拭き取り、薄力粉をふる。**A**を混ぜておく。
2. フライパンにサラダ油を熱し、1を入れる。両面に焼き色がつき、中まで火が通ったら**A**をかけ、煮からめる。
3. 器に盛り、フライパンに残ったたれをかけ、青じそとレモン、バターを添える。

煮魚は煮汁がとろとろになるように煮上げるのがコツ。
ごぼうのほかに小松菜やしし唐を煮てもあざやか

金目鯛の煮つけ

火を止めて蓋をして10分くらいおくと、
味がしみ込む！

[材料] 2尾分
金目鯛…2尾（魚の切り身…3〜4切れ）
しょうがの薄切り…1片分
ごぼう…½本
A
- 酒…1カップ
- 水…½カップ
- しょうゆ…大さじ3
- 砂糖…大さじ3
- みりん…大さじ2〜3

[作り方]
1. ごぼうは洗って皮つきのまま半分に切り、少し太めの縦薄切りにして水にさらす。
2. 鍋に**A**の酒と水を入れて中火にかける。煮立ったら残りの**A**の材料、しょうが、ごぼうを入れ、2〜3分煮詰める。
3. 魚を加え、落とし蓋をして強めの中火にして10〜15分、時々煮汁をかけながら煮る。
4. 火を止めて10分おき、器に魚とごぼうを盛る。しょうがも一緒に煮汁をかける。

Memo
・青魚（サバ、アジ、サンマ、ブリ）の場合は一度熱湯をかけ、ペーペータオルで水気を拭き取ると魚臭さが抜ける。

［材料］4人分
牛ヒレステーキ肉…150g×4枚
塩こしょう…適量
薄力粉（顆粒）…適量
〈卵衣〉
卵…2個
薄力粉…大さじ3
粉チーズ…小さじ2
生パン粉…100～150g
粉チーズ…大さじ2
バター…適量
サラダ油…適量
付け合わせ（バター炒めパスタ）…適量
レタス…適量
トマトソース（P.114）…好み

［作り方］
1. パン粉はミキサーにかけて、細かくし、粉チーズを混ぜる。
2. 牛肉は、肉叩きで薄くのばす。両面に塩こしょう、薄力粉をふる。
3. ボウルに卵衣の材料を入れてよく混ぜる。牛肉をくぐらせたら、1のパン粉をつける。
4. フライパンにサラダ油を約1cm深さに入れ、3を入れる。時々油をかけながら焼き、きつね色になったら裏返し、両面を揚げ焼きにして、最後にバター大さじ1を加えて風味をつけ、油をきる。
5. 食べやすい大きさに切って器に盛り、好みでトマトソースをかけ、付け合わせとレタスを添える。

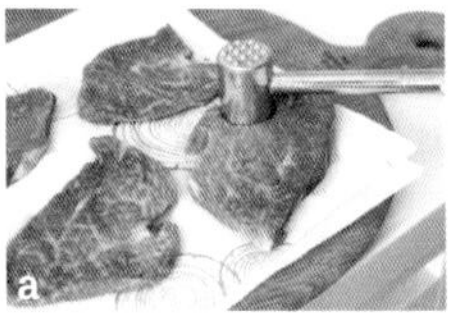
a
牛肉は肉叩きで6～7㎜厚さぐらいにのばす。

b
サラダ油を約1cm深さに入れて、油をかけながら焼き、最後にバター！

■付け合わせの材料と作り方

好みのパスタ（フェットチーネなど）200gを表示通りにゆでて、水気をきり、バター大さじ1で炒め、おしょうゆ少々で香りをつけ、塩こしょうで味を調える。

フライパンで作るカツです。
パン粉は細かく、お肉の厚みは好みで選んで。
そして粉チーズは衣とパン粉のダブルに混ぜます。
バターと粒マスタードをたっぷり塗ったパンにサンドしてお弁当にも◎

ビーフカツ チーズ風味

Memo
・ミキサーがない場合は、乾燥パン粉にしてビニール袋に入れ、めん棒などで叩いて細かくします。
・牛肉はすぐ火が通ります。中火で手早くフライ衣をきつね色にしましょう。
・チーズの味がしっかりきいているので、そのままでも、レモンをしぼるだけでもおいしい！

お好みでごま油や
チリパウダーをかけて
味変も！

フライパンで揚げ焼きしたエビをマヨソースとあえるだけ。
粒マスタードが食欲を盛り上げてくれます

エビマヨ

[材料]4人分

エビ…大10～15尾
薄力粉…適量
A
　薄力粉…大さじ2
　水…大さじ6
サラダ油…適量
B
　マヨネーズ…大さじ2～3
　粒マスタード…小さじ1～2
　砂糖…小さじ2
　おろししょうが…少々
　おろしにんにく…少々
　長ねぎのみじん切り…7～8cm分
レタスの葉…好みで
レモンのくし形切り…好みで

[作り方]

1. エビは尾を残し、殻と背わたを取る。水気を拭いて、薄力粉をまぶす。
2. **A**と**B**はそれぞれ別のボウルに混ぜておく。
3. フライパンにサラダ油を約1cm深さに入れて熱し、エビに**A**の衣をつけ、揚げ焼きにする。火が通ったら、油をきる。
4. エビが熱いうちに**B**のボウルに入れて手早くからめる。
5. 器にレタスの葉をあしらい、エビを盛る。レモンを添える。

とにかくいつも
「ラクしておいしい」を
目論んでいます。そりゃあ、
いつだってできる限り
おいしいものを家族に食べさせたい。
そう思っています。心から。
でもそうはいっても、
疲れているし、毎日毎日献立を
考えて、買い物に行って、作って
片付けて、って、いったい
いつまで続くのかーっ！と
途方に暮れる日もあるわけで。
だから、そんな日のために、
ゆでるだけでおいしい生パスタ、
混ぜるだけでほっぺたが落ちる
レシピを常備しています。
簡単！おいしい！
罪悪感なし！大満足!!

■生パスタ

取り寄せている「淡路麺業」生パスタ（冷凍）。何種類かありますが、私は普通のスパゲッティを選んでいます。

パンチェッタ（塩漬け豚バラ肉）と生クリーム、卵黄で作ります。
パンチェッタの代わりにサーモンやエビ、きのこもおいしいです

カルボナーラ

［材料］2人分

生パスタ…２袋（1袋120～130g）
パンチェッタ（またはベーコン）の
　短冊切り…約100g
ほうれん草…2茎
バター…50～60g
生クリーム…200㎖
顆粒コンソメ…小さじ1
塩こしょう…適量
卵黄…2個
粗びき黒こしょう…少々

［作り方］

1. パスタは表示通りにゆでる。ほうれん草はさっとゆでて水にとって冷まし、水気をしぼってざく切りにする。
2. フライパンにパンチェッタを入れて熱し、カリカリに炒める。
3. 余分な油を拭き取り、生クリームを加える。煮立ったら、ほうれん草を入れ、水気をきったパスタとからめる。
4. 器に盛り、卵黄をのせ、粗びき黒こしょうをふる。

a パンチェッタをカリカリに焼いたら余分な油は拭き取る。

b バターと生クリームを入れ、バターが溶けたらほうれん草、パスタを混ぜる。

時短したい時、なすは薄切りにすると、すぐ火が通ります。
しっかり、なすを味わいたい時は厚めに切って

なすのトマトソース

チーズは
ゴロッと入れて
とろっとさせる

[材料] 2人分
生パスタ…2袋（1袋120～130g）
なす…2本
モッツァレラチーズ（生）…100g
にんにくのみじん切り…1片分
トマトソース缶（p.114）…1缶
オリーブオイル…適量
顆粒コンソメ…好みで
塩こしょう…適量

[作り方]
1. なすは薄切りにする。フライパンにオリーブオイル大さじ2を熱し、やわらかくなるまで揚げ焼きにする。ペーパータオルに取り、油をきる。
2. チーズは大きければ、大きめのひと口大に切る。
3. パスタは表示通りにゆでる。
4. フライパンにオリーブオイル大さじ1を熱し、にんにくを炒める。香りが立ったらトマトソースを入れて5～10分煮込む。塩こしょう、コンソメで味を調える。
5. なすとパスタを入れてからめ、チーズを入れてさっと混ぜ、器に盛る。

ピリ辛塩味のペペロンチーノ。
ブロッコリーも一緒に炒めると味がよく回ります

ブロッコリーとシラスのペペロンチーノ

九条ねぎや長ねぎたっぷりも
息子たちが好きな味

[材料] 2人分
生パスタ…2袋（1袋120～130g）
ブロッコリー…½個
シラス…約30g
にんにく…2片
オリーブオイル…大さじ2
赤唐辛子…2本
塩こしょう…適量
しょうゆ…好みで

[作り方]
1. ブロッコリーは小房に分け、ラップに包んで電子レンジ（600W）で1分加熱する。にんにくは薄切り、赤唐辛子は種を取る。
2. パスタは表示よりかためにゆでてざるにあげる。ゆで汁はとっておく。
3. フライパンにオリーブオイルとにんにくと赤唐辛子を熱し、5～10分じっくり焼く。香りが十分に出たらパスタを加える。全体にオイルがからまったらブロッコリーを加える。
4. ゆで汁をお玉1杯加え、汁気がほとんどなくなるまで炒めたら火を止め、シラスを加え混ぜて、塩こしょう、しょうゆで味を調え、器に盛る。

チャーハン、グラタン、ピラフに炊き込みご飯。
「これだけでおいしい主役」がいてくれる頼もしさ。
基本の味付けでいろんなおいしいができ上がるのも、
この主役たちのすごいところ。
わが家のチャーハンも味変化自由自在。
ベーシックな五目チャーハンもおいしいけれど、
高菜やキムチ、明太、納豆、癖ありの
おいしいものをひと味加えるだけで、
新しいおいしさが発見できます。あとは、この上に
目玉焼きや薄く焼いた卵焼きをのせたり、
シャキシャキレタスを添えてご飯を包んで食べたり。
考えていると、楽しくなります。

子どもも大人も好きな春雨。
中華風のスープによく合います

卵スープ

［材料と作り方］４人分

1. **春雨30g**は水に漬けて戻し、5cm長さに切る。
2. 鍋に**水600mℓ**と**顆粒シャンタン小さじ2〜3**を入れて火にかける。
3. 煮立ったら春雨を入れる。春雨が透明になったら、**卵1個**を溶いて流し入れ、大きくかき混ぜながら火を通す。**塩こしょう**で味を調える。

辛子明太子と高菜漬けの
いいとこ取りチャーハン

高菜明太チャーハン

［材料］2人分

ご飯…400g
高菜漬け…50g
辛子明太子…1腹
ごま油…大さじ1
こしょう…適量
しょうゆ…適量

［作り方］

1. 高菜漬け(**a**)はさっと水洗いして水気を絞り、みじん切りにする。明太子は薄皮をはずす。
2. 深型フライパンにごま油を熱し、高菜を入れる。油が回ったらご飯を加えて、全体をよく炒め混ぜる。
3. 明太子を加え、粒の色が変わってパラパラになったら、こしょうをふり、鍋肌に沿ってしょうゆ少々を回しかけ、香りと味を調え、器に盛る。

高菜の塩漬け。高菜は少しピリリとした辛みとしっかりした歯応えがあるので、料理に向いている。刻んだものを豚ひき肉と炒めてもおいしい。

ご飯は2〜3時間保温したものを
炒めるとおいしい！

キムチ味には少し甘い焼肉のたれが
相性抜群です

キムチチャーハン

［材料］2人分

ご飯…400g
白菜キムチ…150g
豚ひき肉…150g
卵…3個
ごま油…適量
焼肉のたれ…適量
塩こしょう…適量
万能ねぎの小口切り（あれば）…適量

味つけは、
焼肉のたれで
簡単美味！

［作り方］

1. キムチは粗めのみじん切りにする。卵は溶きほぐす。
2. 深型フライパンにごま油大さじ1を熱し、卵を入れる。大きく混ぜながら炒め、七分通り火が通ったら、取り出す。ごま油を少し足し、豚肉を入れ、軽く塩こしょうする。
3. 豚肉がカリカリになるまでよく炒めたら、ご飯を入れ、全体に混ぜる。
4. 2の卵を戻し入れて全体に混ぜたら、キムチを加え混ぜ、焼肉のたれで味を調える。

ご飯に卵を戻して混ぜたら、
最後にキムチを入れて混ぜる。
ひき肉でなくてもOK。

作る時は大量に！ わが家の定番料理

——冷凍したり、応用したりのお役立ちレシピ

作りおきのための料理はしません、というより、できない！
作りおきの上手な方を「なんて素晴らしい」と眺めつつ、
それができない自分がちょっと情けなくなったこともありますが。
〝食べる〟は毎日続くこと、であれば、自分ができるだけしんどくならないよう、
自分のペースで続けていくことが大切だな、と思ったわけです。
なので、私は、「作る時には大量に作る」ことにしています。
ハンバーグのような練りもの、衣をつけた揚げものは、
焼く前、揚げる前の状態で冷凍保存。
疲れた日も、ラクしたい日も、揚げるだけ、焼くだけ、で
立派なごちそうになってくれるから、本当に助かっています。

忙しくなりがちなな
キッチンには
思わず〝ふふふ〟となる
アイテムを♡

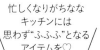

PART 3

ハンバーグはラクしたい私の救世主的メニュー。
たとえば焼いて、ソース、チーズ、
目玉焼きにトマトソース、
ホワイトソース、大根おろしと
味も見え方も変わるのがうれしい。
デミグラスやトマトソースで煮込んだり、
グラタンやドリア、パンに挟めばハンバーガー。
小さく焼いて、ミートソースや
トマトソースとからめてパスタもおいしいし、
カレーにのせるだけでも食べ盛りの子どもたちの
お腹を満たしてくれます。

成型したら、ラップに包んで冷凍。お弁当用は小さめに

ハンバーグ

[材料]
▶基本のハンバーグ（1個150gで約12個分）
合いびき肉…1.2kg
玉ねぎのみじん切り…1個分
生パン粉…120g
牛乳…100㎖
ナツメグ小さじ½か
ハンバーグスパイス適量
卵…2個
塩…小さじ1
こしょう…少々
ウスターソース…大さじ1
サラダ油…大さじ1
〈ハンバーグソース〉4個分
バター…大さじ2
とんカツソース…大さじ2
トマトケチャップ…大さじ3
赤ワイン…大さじ2
〈付け合わせ〉
目玉焼き、ペンネバター炒め、
ジャーマンポテト（p.64）、
さやいんげん炒め、焼きトマト、
クレソンなど…各適量

[作り方]
〈ハンバーグ〉
1. フライパンにバターを弱火で熱し、玉ねぎを透明になるまで炒めたら取り出して粗熱をとる。パン粉は牛乳に浸す。
2. ボウルに全部の材料を入れて(a)よく混ぜ、粘り気が出るまでこねる。
3. 等分（1個約150gが目安）に丸めてから平たい小判形に整える。火が通りやすいように真ん中を少しへこませる。
4. フライパンにサラダ油を熱し、3のへこみを下にして入れる。片面に焼き色がついたら裏返す。出てくる油分は拭き取る。さらに焼き色がついたら、ハンバーグの高さの1/3ぐらいの水（分量外、b）を入れて蓋をする。
5. 水分がほとんどなくなり、表面から透明な汁がでてきたら蓋を取り、余分な油分を拭き取り、焼き上がり。
6. 器に盛る。
7. ハンバーグを焼いたフライパンにハンバーグソースの材料を入れて弱火にかけ、ひと煮立ちしたら、ハンバーグにかける。

〈付け合わせ〉
1. ペンネ150gは表示通りにゆでて、水気をきり、バターでさっと炒めて、塩こしょうで味を調える。
2. さやいんげん1袋はヘタを切り、トマト1個は1㎝厚さの薄切りにする。フライパンにバター6gを熱し、さやいんげんは炒め、トマトは両面をさっと焼いて、塩こしょうで味を調える。1のペンネ、クレソンとともにハンバーグに添える。

Memo
・ハンバーグをジューシーに柔らかくするコツは、両面に焼き色をつけたら、水を入れて蒸し焼きすること。
・種にウスターソースを入れると、冷めてもおいしい！

a
ボウルに材料を全部入れ、粘りが出るまでよく練り混ぜる。

b
両面に焼き色がついたら、余分な油分は拭き、水をハンバーグの1/3まで注ぐ。

c
蓋をして、蒸し焼きに。表面から透明な汁が出てきたら、蓋を取って。余分な油を拭き取る。

トマトソースで煮込みます。デミグラスソースを煮込んでブロッコリーやフェットチーネを添えてもおいしい♡

煮込みハンバーグ

野菜はソースにすると
子どもたちも
おいしく食べてくれます

[材料]8個分
ハンバーグの種…8個
にんにくの薄切り…3片分
バター…大さじ2
トマトソース缶（p.114）…4缶
顆粒コンソメ…小さじ3
ローリエ…2枚
塩こしょう…適量
モッツァレラチーズの薄切り…100g

[作り方]
1. 深めのフライパンにバターを熱し、にんにくを弱火で炒める。香りが立ったらトマトソース、コンソメ、ローリエを加える。
2. 別のフライパンにサラダ油を中火で熱してハンバーグを入れ、両面をきつね色に焼く（中まで火が通ってなくても大丈夫）。
3. 焼き色がついたら1のトマトソースに入れ、蓋をして弱火で10~15分煮込む。
4. 塩こしょうで味を調え、モッツァレラチーズをひと口大に割いて加える。チーズが溶けてきたら器に盛ってでき上がり。

ふんわり
ジューシー！

わが家は、カレーも大鍋でたっぷり作って冷凍保存。
解凍してもおいしいよう、じゃがいもは別添えです。
その日によって、野菜をのせたり、フライドオニオン、
チーズや卵をトッピングしたり、
グツグツ煮込んだカレーはそれだけで数日おいしいのに、
息子たちは連日は食べてくれません。
だから、カレードリアやカレーうどんにしたり、
ご飯にちょっと混ぜて炒めてカレーピラフにしたり。
今もカレーアレンジをいろいろ試して
増やしているところです。

なすやかぼちゃ、トマト、
パプリカ、しし唐を
揚げて混ぜるのもおいしい！

ひき肉だけで作ります。残りは小分けして冷凍。
ドリアのソースやホットサンドに

キーマカレー

キーマカレーペースト

キーマカレーは「朝岡スパイス」のキーマカレーペースト。コクがあって辛味が優しい。

［材料］10皿分
豚ひき肉…600g
バター…大さじ1
キーマカレーペーストの素…10皿分
ご飯…適量
付け合わせ（卵黄、ピクルス、レーズンなど）
…好み
粗びきこしょう、粉チーズ…各適量

［作り方］
1. 鍋にバターを熱し、豚肉を炒める。カリカリになるまでよく炒めたら、ペーパータオルで余分な水分や油を拭く。
2. 水7カップを加える。煮立ったら、キーマカレーペーストを入れて溶かし、20分くらい煮込んで全体にとろりとしたらでき上がり。
3. 器にご飯とカレーを盛り、卵黄をのせる。好みでピクルスなどを添え、粗びきこしょうや粉チーズをふっても。

野菜やハンバーグ、カツ、
カレーの上にいろいろのせちゃう

うちのカレーライス

［材料］10皿分
鶏むね肉…大2枚
にんじん…大2本
玉ねぎ…1個
バター…大さじ1
カレーペーストの素…10皿分
〈付け合わせの野菜〉
パプリカ、しし唐、れんこん、
ゴーヤなど…各適量
バター、塩こしょう…各適量
クレソン…適量
ご飯…適量

［作り方］
1. 鶏肉は大きめのひと口大に切る。にんじんは乱切り、玉ねぎは縦半分にして1cm幅に切る。
2. 鍋にバターを熱し、鶏肉を炒める。肉の色が変わったら、にんじんと玉ねぎを炒める。
3. 全体に炒めたら、水7カップを加える。煮立ったら、カレーペーストを入れて溶かし、20〜30分、野菜がやわらかくなるまで煮る。
4. 付け合わせの野菜はそれぞれ食べやすい大きさにして、下ゆでしたり、そのままをバターで炒め、塩こしょうする。
5. 器にご飯とカレーを盛り、4の野菜とクレソンをのせる。好みで粗びきこしょうや粉チーズをふっても。

Curry Paste

カレーペースト

私が愛用しているのは「朝岡スパイス」のカレーペーストの中辛。スパイシーでコクがあって、後味もいいところがお気に入りです。それ以外なら、2種類の違うカレーの素を合わせるのがおすすめ。

ご飯は玄米や五穀米のほかにも
サフランライスやターメリックライス、
バターライスといろいろ合わせます

1日目はシンプルにコンソメ味にソース。
その後は、トマトスープ、それか牛乳や豆乳を
混ぜたクリームスープで味変。
さらにトマトスープには牛乳、
クリームスープにはトマト缶を入れて
ちょっと煮込み直せば新しい「おいしい」が完成。
最後は残りを細かくつぶして煮込むこと40分。
おいしいパスタソースの完成。
煮込み物、練り物は、子どもたちが普段食べない
野菜を食べてくれ[illegible]なチャンスなので
小さく刻んで入

基本のさっぱりコンソメ味は、
アレンジできるからおいしくて便利!!

ロールキャベツのコンソメ味

[材料]

〈ロールキャベツ〉8個分

キャベツの葉…8枚

A
- 豚ひき肉…400g
- 鶏ひき肉…400g
- 玉ねぎのみじん切り…½個分
- バター…10g
- パン粉…½カップ
- 牛乳…150mℓ
- 卵…1個
- 塩…小さじ1
- ナツメグ…少々

顆粒コンソメ…大さじ2

水…3カップ

ローリエ…1枚

塩こしょう…適量

B
- バター…大さじ2
- とんカツソース…大さじ2
- トマトケチャップ…大さじ3
- 赤ワイン…大さじ2

ガーリックトースト(p.67)…適量

[作り方]

1. キャベツの葉は洗ってぬれたままラップにくるみ、電子レンジ(600W)で約3分加熱。粗熱がとれたら、芯の厚い部分をそぎ、厚みを均一にする。水気を拭く。
2. **A**で肉だねを作る。玉ねぎはバターで炒めてしんなりしたら、粗熱をとる。ボウルに**A**をすべて入れて、よく練り混ぜる。
3. 肉だねを8等分して(1個約140g)俵形に整え、キャベツの葉で包み、巻き終わりを楊枝でとめる。
4. 鍋に水とコンソメを入れて火にかけ煮立ったら、ローリエと3を並べ入れる。蓋をして約30分、キャベツがやわらかくなるまで煮る。
5. **B**でソースを作る。小鍋にバターを熱し、とんカツソース、ケチャップ、赤ワインを入れて混ぜる。ひと煮立ちしたら、火を止める。器に入れ、好みでかける。ガーリックトーストを添える。

肉だねをのせ、手前でひと巻きして両端を折り、クルクル巻く。

楊枝で縫うようにとめる。盛り付ける時ははずす。

ロールキャベツを
トマトソースとグラタンソース、
たっぷりチーズでグラタンにします

ロールキャベツの グラタン

[材料] 4人分
ロールキャベツ (p.48) … 8個
バター…適量
トマトソース缶 (p.114) … 1缶 (295g)
グラタンソース (市販) … 1缶 (290g)
ミックスチーズ…150〜200g

[作り方]
1. ロールキャベツを作る (p.48の1〜3)。
2. オーブンを180℃に予熱する。
3. 耐熱皿にバターを塗り、トマトソースを入れて平らにする。ロールキャベツを並べ入れ、グラタンソースを均一にかける。チーズをたっぷりめにのせる。
4. オーブンに入れて約40分、焼き色がつくまでじっくり焼く。

グラタンソース

グラタンソースは、チーズとマッシュルーム入りでコクがあります。ない時は、ホワイトソースでも。

a
トマトソース、ロールキャベツ、グラタンソースの順に重ねる。

b
チーズをたっぷりかけて、オーブンへ。焼き色がつくまで焼く。

キャベツの甘さとクリームの風味で
やさしいおいしさ。
スープまでおいしくいただけます

ロールキャベツの クリーム風味

[材料] 4人分
ロールキャベツのコンソメ味 (p.48)
…8個分
牛乳…100mℓ
塩こしょう…適量
パプリカ (粉末) … 少々

[作り方]
1. 基本のコンソメ味のロールキャベツを作る (p.48)。
2. 仕上げに牛乳を加え、塩こしょうで味を調える。
3. 器にロールキャベツとソースを盛り、パプリカをふる。

チーズは
これでもかと
たっぷりのせて!!

次の日はトマトソースに牛乳を入れ、
トマトクリームソースもできる

ロールキャベツのトマト味

［作り方］

1. 基本のロールキャベツのコンソメ味を作る（p.48）。
2. トマトソースとローリエを加え（**a**）、蓋をして20〜30分煮る。
3. 塩こしょうで味を調えたら器に盛り、イタリアンパセリをふる。

コンソメ味のロールキャベツにトマトソースを入れて煮込む。

もっと煮込んで
パイに詰めればミートパイ

とにかく細かくつぶして、じっくり煮込む。
コトコトコトコト30〜40分ででき上がり

ロールキャベツのミートソース

[材料と作り方]

1. **ロールキャベツのトマト味**(p.52)を刻む(**a**)。
2. 火にかけ、**お好み焼きソース少々**と**塩こしょう**で味を調え、弱火で約40分煮る。
3. **パスタ**は表示通りゆでて、水気をきり、器に盛る。2のソースをかけ、好みで**パルメザンチーズ適量**をおろしてのせる。

a
ヘラで刻んだり、フードプロセッサーにかけたり、包丁で刻んでも。

[材料] 4人分
ロールキャベツのコンソメ味(p.48)
…8個分
トマトソース缶(p.114)…2〜3缶
ローリエ…1枚
塩こしょう…適量
イタリアンパセリのみじん切り
(あれば)…少々

■献立にするなら

シンプルサラダ(p.68)やパンを添えて。

もう一品も大事です！

——野菜も食べてほしいから、ひと工夫

もう一品。実はこれが一番難しいのでは？と
毎日のように思っています。
「きょうは何を作ろう」多分一生のうち、一番考え、
繰り返し続けていくのがこの言葉。
ハンバーグかな、煮付けかな、パスタかな。
なんとかメインは思いついても、
「それだけ？」「それだけでいい？」
「足りる？」「栄養のバランスは？」
ごはんへの悩みは果てしないものです。
1回の食卓、1回のお弁当には、
たくさんの愛と知恵と工夫と
苦労が詰まってる。
私も、このもう一品を考え続ける毎日です。
今までいろいろと作り続けてきた中で、
簡単で、お腹も満たされ、
時にはいい箸休めになったり、
メインのおいしさを高めてくれたり、
主役と並ぶくらいに評判がいいものを
いくつかご紹介します。

PART

4

きんぴらは
香りのよいごま油で！

細さを揃えて
歯応えよく仕上げます
赤唐辛子の量は
気分によって

ごぼうとにんじんのきんぴら

お弁当に毎日の食卓。そこまでたくさん品数を
増やしたいわけではないけれど、
栄養のバランスや彩りに「あとひと声欲しい」。
そんな時にラクして「ひと声」を
満たしてくれるのが、彩り野菜のきんぴら。
おなじみの調味料で炒めるだけで、
テーブルの上もお弁当も、
見違えるようにおいしそうになるんです。
野菜の歯応えも楽しいし、お弁当の隙間埋め
にもちょうどいい。そしてなにより、
簡単なことしかしていないのに
バランスがよくなるから、
達成感と満足感がついてくる。ありがたい。

味つけは同じでも、
野菜の種類で食感や甘みが変わり、
目もおなかもおいしい

きんぴら5種

[材料] 作りやすい分量

▶ごぼうとにんじんのきんぴら
ごぼう····1本
にんじん…1本
赤唐辛子の輪切り…少々
ごま油…大さじ1
白炒りごま(あれば)…適量

▶チンゲンサイのきんぴら
チンゲンサイ…2株
ごま油…大さじ1
糸唐辛子(あれば)…適量

▶アスパラのきんぴら
グリーンアスパラガス…8本
赤唐辛子の輪切り…少々
サラダ油…大さじ1
糸唐辛子(あれば)…適量

▶れんこんのきんぴら
れんこん…1節
赤唐辛子の輪切り…少々
サラダ油…大さじ1

▶パプリカのきんぴら
パプリカ(赤・黄色)…各½個
にんにくのみじん切り…½片
オリーブオイル…大さじ1

▶きんぴらの共通合わせ調味料
A
砂糖…大さじ1
みりん…大さじ1
しょうゆ…大さじ2

[作り方]

▶ **ごぼうとにんじんのきんぴら**　ごぼうは皮をこそげ取り、約5cmの長さにして、縦に薄切りにしてからせん切りして水にさらす。にんじんも同じくせん切りにする。
フライパンにごま油を熱し、赤唐辛子、水気をきったごぼうとにんじんを入れて炒める。油がからまったら、**A**を加え、少ししんなりするまで炒めたら蓋をして火を止め、冷めるまでおいて味をなじませる。器に盛り、ごまをふる。

▶ **チンゲンサイのきんぴら**　チンゲンサイは約5cm長さの細切りにする。フライパンにごま油を熱し、チンゲンサイを水分が飛ぶまでしっかりと炒め、**A**を加えからめて味を調え、器に盛り、糸唐辛子をふる。

▶ **アスパラのきんぴら**　アスパラは約4cm長さの斜め切りにする。フライパンにサラダ油を熱し、赤唐辛子とアスパラをさっと炒める。**A**を加えからめて味を調え、器に盛る。

▶ **れんこんのきんぴら**　れんこんは乱切りにする。フライパンにサラダ油を熱し、赤唐辛子とれんこんを入れ、歯応えよく炒める。**A**を加えからめて味を調え、器に盛る。

▶ **パプリカのきんぴら**　パプリカは半割りにして種を取り、4～6等分に切る。フライパンにオリーブオイルを熱し、にんにくを入れる。香りが立ったらパプリカを加え、しんなりするまで炒める。**A**を加えてからめ、蓋をして火を止め、冷めるまでおいて味をなじませ、器に盛る。

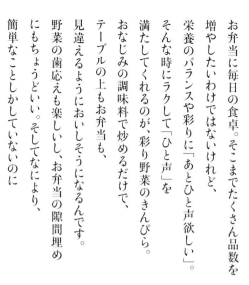

やわらかく炒めすぎないのが
POINT
アスパラのきんぴら

パプリカはとろりと
ツヤツヤするまでよく炒める
パプリカのきんぴら

歯応えの楽しさで
叩くか薄切りか
れんこんのきんぴら

強めの火で水気を飛ばして
糸唐辛子であざやかに
チンゲンサイのきんぴら

シャンタンとごま油で
味付けするナムル。
コチュジャンとご飯にのせれば
ヘルシーごちそう

ズッキーニのナムル

［材料］作りやすい分量
ズッキーニ…大1本
サラダ油…大さじ½
塩…少々
顆粒シャンタン…小さじ½〜1
おろしにんにく…小さじ½
糸唐辛子…少々
ごま油…大さじ1

［作り方］
1. ズッキーニは、小口から薄切りにする。
2. フライパンにサラダ油を熱し、1を入れ、塩を加えてさっと炒める。
3. ボウルに入れ、顆粒シャンタンとにんにく、糸唐辛子、ごま油を入れてあえる。
4. 器に盛る。

Memo
・炒りごまをふっても。
・にんじんやもやし、ほうれん草などでも作れます。唐辛子はお好みで。

きんぴらの応用でしっかりおかずに。
ごぼうをピーラーで薄切りにして、
しゃぶしゃぶ用の豚肉と卵と炒めます

ごぼうのきんぴらの卵炒め

［材料］作りやすい分量
ごぼう…1本
豚肩ロースしゃぶしゃぶ用肉
…150g
赤唐辛子の輪切り…少々
A
砂糖…小さじ2
みりん…小さじ2
しょうゆ…小さじ4
卵…3個
サラダ油…大さじ1
一味唐辛子（あれば）…好み

［作り方］
1. ごぼうは半分に切って皮をこそげ取り、ピーラーで薄切りにして（a）水にさらす。卵は溶く。豚肉は4〜5cm長さに切る。
2. フライパンにサラダ油を熱し、赤唐辛子を炒め、豚肉を加える。肉に半分くらい火が通ったら、ごぼうの水気をきって加え、炒める。全体に油がからまったら、Aを加え、ごぼうが少ししんなりするまで炒める。
3. フライパンの片端に具を寄せ、空いた部分に卵を流し入れる（b）。卵の部分を大きく混ぜ、半熟状にかたまったら、全体に大きく混ぜ合わせる。
4. 器に盛り、好みで一味唐辛子をふる。

a
ピーラーで細長く薄切りにして、水にさらす。

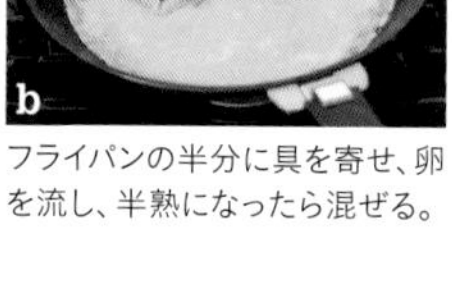

b
フライパンの半分に具を寄せ、卵を流し、半熟になったら混ぜる。

子どもも好きなブロッコリー。
この味つけで
もっとたくさん食べれちゃう

ブロッコリーの アーリオ・オーリオ

[材料] 作りやすい分量
ブロッコリー…1株
にんにくのみじん切り…2片分
赤唐辛子…2〜3本
塩…少々
粗びき黒こしょう…少々
オリーブオイル…大さじ2

[作り方]
1. ブロッコリーは小房に分け、さっと塩ゆでする。赤唐辛子は種を取る。
2. フライパンにオリーブオイルを熱し、にんにくと赤唐辛子を入れて炒める。香りが立ったら、ブロッコリーを入れ、全体に油がなじむまで炒め、塩と粗びき黒こしょうで味を調える。

れんこんとチーズをパリパリに。
簡単すぎるのに
あとを引くおいしさ

れんこんのチーズ焼き

[材料] 作りやすい分量
れんこん…1節（約200g）
ミックスチーズ…100g
サラダ油…大さじ½
チリパウダー（あれば）…好みで

[作り方]
1. れんこんは皮をむき、薄切りにして水にさらし、水気をきる。
2. フライパンにサラダ油を熱し、れんこんを並べ入れる。片面に焼き色がついたら、裏返し、チーズをバラバラとかける。チーズが溶けてパリパリになったらでき上がり（a）。大きめに分けて器に盛り、チリパウダーをふる。

チーズが溶けて焼き色がつき、パリっとなったら、でき上がり。

野菜は薄力粉やくず粉をまぶして揚げてもOK.
から揚げや竜田揚げをひたせば、立派な肉料理に

野菜の簡単揚げびたし

野菜の揚げびたし。オクラやしし唐、かぼちゃにズッキーニ、
冷蔵庫に残っている野菜、なんでも入れます。
揚げると野菜の甘みがおいしくて。これだけでご飯が進みます。
子どもたちが食べる時には、から揚げや鶏肉や、魚の竜田揚げも
一緒に浸すと喜んで食べてくれるし、バランスもアップ。
野菜はそのまま揚げるとやわらかな歯応え、
薄力粉やくず粉をまぶして揚げるとサクッと食べ応えが増します。
調味料を混ぜるのが面倒な日は、すき焼きのたれでラクします。

[材料] 作りやすい分量
パプリカ（赤と黄色）…各1個
ミニトマト…5個
なす…2本
揚げ油
A すき焼きのたれ（ストレート）…100mℓ
A 酢…20mℓ

[作り方]
1. 容器にAの材料を合わせ混ぜる。
2. パプリカはそれぞれ8等分に切り、種を取る。ミニトマトはヘタを取る。なすは1.5㎝幅の輪切りにする。
3. 揚げ油を熱し、なすを揚げる。やわらかくなったら、ペーパータオルに取り、油をきってから1に漬ける。パプリカ、トマトも同様にする。
4. そのまま冷ます。粗熱がとれたら、蓋をして冷蔵庫で冷やしてもいい。
5. 器に盛る。好みで大根おろしや白髪ねぎを添えても。

ピリ辛にしたい時は
豆板醤をプラス！

a
野菜はよく水気を拭いて、素揚げする。

b
箸で挟んでへこむぐらいやわらかくなったら、たれに入れる。

豚ひき肉があれば十分。これに冷蔵庫にある残り野菜をせん切りにして加え炒める。ご飯が何杯でもいけます

春雨炒め

[材料] 4人分

春雨（緑豆・細め）…100g
にら…½〜1束分
A
- にんにくのみじん切り…1片分
- しょうがのみじん切り…1片分
- 長ねぎのみじん切り…1本分

豚ひき肉…200g
ごま油…大さじ2
B
- オイスターソース…大さじ2
- 酒…大さじ1
- しょうゆ…小さじ2
- 豆板醤…小さじ2
- 塩こしょう…少々

[作り方]

1. 春雨は袋の表示通り戻し、食べやすい長さに切る。にらは3㎝長さに切る。Bは合わせて混ぜる。
2. フライパンにごま油を弱火で熱し、Aを炒める。香りが立ったら、ひき肉を加えて炒める(a)。
3. よく炒めて、肉がポロポロになったら、Bを順に加え混ぜる。
4. 1の春雨の水気をきって加え、さっくりと炒める。全体に味がからまったら、にらを加えて、さっと混ぜる(b)。
5. 器に盛る。どんぶり風にしても。

子どもと一緒に食べるなら
豆板醤はそれぞれの好みで
あと添えするといいです！

a
ひき肉はポロポロになるまでよく炒めたほうがおいしい。

b
調味料、春雨、にらを加えて全体を混ぜ、味をなじませる。

母が教えてくれた味のひとつです。
とても簡単なのに、こんなにおいしいなんて。
作るたびに感動します。
その日によって、
コンソメを混ぜて味をしっかりさせたり、
長ねぎを玉ねぎのスライスにしたり、
ほうれん草とベーコンを入れたりと、
これもアレンジ無限。
翌日は、サーモンのグリルやエビフライ、
ステーキを焼いて、ポテトグラタンを添えます。
この組み合わせも合うんです。

ハンバーグやローストビーフなどの
付け合わせによく作るマッシュポテト。
牛乳と生クリームを温めて加えると、まろやかに仕上がります！

マッシュポテト

[材料] 作りやすい分量
じゃがいも…2個
牛乳…大さじ2
生クリーム…50mℓ
バター…20g
塩こしょう…適量

トリュフ塩や
ガーリックパウダーを
かけても
おいしい

[作り方]
1. じゃがいもは皮をむいて、4つ割りにする。鍋に入れ、かぶるぐらいの水を入れ、火にかける。煮立ったら、弱火にして10〜15分ゆでる。
2. じゃがいもがやわらかくなったら、湯を捨て、熱いうちに裏ごしするか、なめらかになるまでつぶす。バターを入れて混ぜる。
3. 牛乳と生クリームを電子レンジで60℃ぐらいに温めてから、加えて混ぜ、塩こしょうで味を調える。

Memo

・生クリームがなければ、牛乳だけでも。
・電子レンジで温める時は、耐熱容器にラップをして電子レンジ600Wで約30秒が目安。

いつ作っても喜ばれます。
チーズをこんなに〜というほど、たっぷりのせて

ポテトグラタン

[材料] 約21cm角の耐熱容器1皿分
長ねぎ…1本または玉ねぎ…1個
じゃがいも…6個
アンチョビソース…適量
生クリーム…200mℓ
ミックスチーズ…200〜250g
塩こしょう・バター…各適量
顆粒コンソメ…好みで

[作り方]
1. 長ねぎは5cm長さのせん切りにする。
2. じゃがいもは2〜3mm厚さの薄切りにして、水にさらし、5分おく。水気をふき取り、耐熱容器に並べ入れ、ラップをかぶせて電子レンジ(600W)で約8分加熱する。
3. オーブンは230℃に予熱する。
4. 生クリームに塩こしょう、コンソメを入れてよく混ぜる。
5. グラタン皿にバターを塗り、2のじゃがいもを1段並べて1の長ねぎ、アンチョビソースを散らす、これを何回か繰り返して重ね入れ(a)、最後に4の生クリームを回しかける。チーズをのせる(b)。オーブンで約25分焼く。

a

じゃがいもと長ねぎを重ね、アンチョビソースを散らし、を重ねる。

b

生クリームを注ぎ、チーズをたっぷりのせてオーブンへ。

アンチョビソース

私が常備しているのは、明治屋のオリジナル「アンチョビソース」。フィレの缶のように、開けたら使いきらなくては、という負担もなく、気軽にアンチョビの香りや味をいかせます。生臭さがなく、使いやすい！　キャベツと炒めても。

Memo

・じゃがいもの種類によって味食感も違います。私がよく使うのはインカのめざめ→コクあり、キタアカリ→ほくほく、メークイン→しっとり。その時の気分で選んで。
・子どもは玉ねぎで作るほうが噛みやすくて好きなようです。

もう一品、もうひと声の時に便利な
じゃがいもレシピ

ジャーマンポテト

［材料］4人分
じゃがいも…3個
ベーコン（パンチェッタ）…100g
にんにく（つぶす）…2片
ローズマリー…小1枝
顆粒コンソメ…好みで
塩…適量
粗びき黒こしょう…少々
ガーリックパウダー…好みで
バター…大さじ1

［作り方］
1. ベーコンは短冊切りにする。
2. じゃがいもはひと口大のくし形切りにして、水に5分さらす。軽く水気をきって耐熱容器に入れ、ラップをして竹串がスッと通るぐらいまで、600Wの電子レンジで約3〜5分加熱する。
3. フライパンににんにくと1のベーコンを入れて熱し、両面が焼けたら、2のじゃがいもを加える。塩をふり、炒める。
4. じゃがいもに薄く焼き色がついたら、ローズマリーとコンソメ、黒こしょう、ガーリックパウダーを加え混ぜる。仕上げにバターをさっくりとからめて、器に盛る。

ベーコンは両面がこんがりするようになるまでよく炒める。

電子レンジでほくほくにしたじゃがいもを入れて炒める。

最後にローズマリー、コンソメ、ガーリックパウダー、黒こしょう、バターを加え混ぜる。

コンソメを入れると
味がしっかり

ご飯をおかわりし続けたくなる、たれと卵。
毎日食べたい！

ゆで卵の香味だれ漬け

卵のゆで加減が
POINTです！

[材料] ゆで卵10個分

ゆで卵(p.77)…10個

〈香味だれ〉

- 玉ねぎのみじん切り…¼個分
- 長ねぎのみじん切り…½本分
- にんにくのみじん切り…1片分
- 赤唐辛子の輪切り…2本分
- しょうゆ…大さじ5
- 砂糖…大さじ2½
- 水…100mℓ
- 白炒りごま…大さじ1

[作り方]

1. 容器に玉ねぎの水気をきって入れ、残りの香味だれの材料を合わせ、ゆで卵を漬ける。
2. 冷蔵庫でひと晩おく。途中、卵の上下を返す。
3. 半分に切って器に盛る。好みでたれをかける。

Memo

・うずらの卵でもよく作ります。サイズ感がおべんとうやおつまみにちょうどいいです！
・沸騰した湯に冷蔵庫から出したての卵を入れて7分で水に取るのが香味だれ漬けにはベスト！

冷凍パイシートは常備しておくと、とっても重宝します。
形を整えて下焼きすれば、あとは好きな具をのせて焼き上げるだけ

シラスパイ

［材料］作りやすい分量
冷凍パイシート…1枚
ミックスチーズ
　…80〜100g
シラス…50g
オリーブオイル…小さじ1
レモンの小切り…適量
チリパウダーか
　一味唐辛子…少々
イタリアンパセリ（あれば）
　…好み

［作り方］
1. オーブンを210℃に予熱する。
2. パイシートは室温に戻し、クッキングシートの上にのせる。四角の縁を1cmぐらい内側に折って額縁状にする（a）。底一面にフォークで穴を開け（b）、オーブンに入れ、10分空焼きする。
3. 薄く色づいたら、取り出し、膨らんでいるところはヘラでつぶす。
4. ミックスチーズを敷き詰め、上からたっぷりのシラスをのせる。オリーブオイルをたらりとかける。
5. 210℃のオーブンに入れ、さらに約5〜7分、きつね色になるまで焼く。
6. 切り分けて器に盛り、レモンとイタリアンパセリを飾り、チリパウダーをふる。

パイシートは室温に戻し、縁を1cmぐらい折って額縁状にする。

底面にフォークで穴を開けて、一度、空焼きする。

Memo
・パイだけを焼き上げ、上にフルーツやクリームをのせるとあざやかなスイーツに。
・パイ生地でハンバーグやソーセージをくるんで焼くのもおいしいです。

にんにくとバターじょうゆ風味の炒めご飯。
にんにくもバターも思いきってたっぷり〜!!
仕上げにフライドオニオンをかけて！

ガーリックめし

[材料] 4人分

ご飯…400g
にんにくのみじん切り…4片分
バター…50g
しょうゆ…大さじ1弱
塩…小さじ1弱
こしょう…少々
フライドオニオン…適量

[作り方]

1. フライパンを弱火にかけ、にんにくとバター⅔量を加えて焦がさないよう弱火でゆっくりと炒める(a)。
2. 香りが立ったらご飯を入れ、強火にしてさくっと炒める。残りのバターを入れて混ぜる。
3. しょうゆを鍋肌に2周、回し入れ、塩とこしょうで味を調え、器に盛り、フライドオニオンをかける。

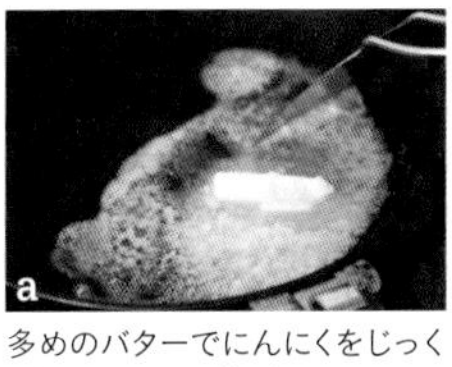

多めのバターでにんにくをじっくり炒めてから、ご飯を入れる。

Memo
ステーキとかハンバーグとかチキンソテーとか。何でものせれば、ごちそうプレートに。

バゲットににんにくをすり込み、バターを塗って焼きます。
肉や魚介料理、パスタやスープに添えてもおいしい！

ガーリックトースト

[材料] 作りやすい分量

バゲット…適量
にんにく…1片
バター…適量
塩こしょう…適量
パセリのみじん切り（あれば。乾燥タイプでも）…適量
オリーブオイル…適量

[作り方]

1. バゲットの切り口に、にんにくを半分に切った切り口をこすりつける(a)。
2. バターをたっぷりめに塗る(b)。
3. オーブントースターに入れて、こんがりと焼き、塩こしょう、パセリをふり、オリーブオイルをかける。

にんにくを半分に切って切り口でパンの表面をこする。
※おろしにんにくを塗ってもいい。

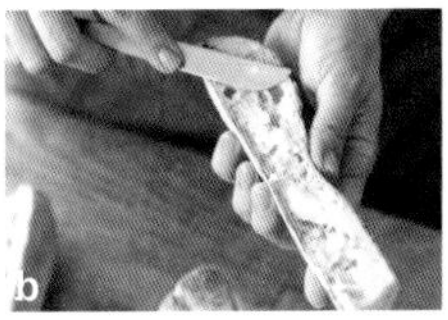

バターをたっぷり塗る。室温に戻すと塗りやすい。

バーニャカウダソースのほか、
わが家では簡単ソースをよく作ります。
野菜を丸ごと食べる幸せ！

スティックサラダ ディップ3種

[材料] 作りやすい分量

〈野菜〉(好み)

きゅうり、かぼちゃ、紫キャベツ、
パプリカ(赤と黄色)、セロリ、チコリ、
ラディッシュなど…各適量

〈明太マヨソース〉

マヨネーズ…大さじ3
辛子明太子…½本

〈カレーマヨソース〉

マヨネーズ…大さじ3
カレー粉…小さじ1
塩こしょう…少々

〈豆腐クリームソース〉

豆腐(木綿、絹どちらでも)…½丁
味噌(好みのもの)…小さじ1
一味唐辛子…好みで

[作り方]

1. 野菜は、それぞれ食べやすい大きさに切る。かぼちゃは薄切りなら生でも。少し厚いようなら電子レンジにかけて少し加熱する。
2. 明太マヨソースは、明太子の薄皮を取り、マヨネーズと混ぜる(**a**)。カレーマヨソースは材料をよく混ぜる(**b**)。
3. 豆腐ソースは、豆腐の水気を軽くきり、味噌と合わせてハンディープロセッサー(バーミックスなど)でなめらかにする(**c**)。すり鉢でするか漉しても。一味唐辛子をふる。
4. 器に野菜と3種類のソースを盛りつける。

明太子は薄皮から粒を取り出し、マヨネーズと混ぜる。

カレー粉とマヨネーズを混ぜる。好みのスパイスを足しても。

豆腐と味噌をなめらかになるまでよく混ぜる。

3、4色の野菜をミックスすると
栄養も彩りもバランスUP。
ドレッシングも手作りがおいしい！

シンプルサラダ

[材料] 作りやすい分量

サラダ野菜(好み)…適量
ラディッシュ、ホワイトマッシュルーム…各2〜3個

〈ドレッシング〉

おろし玉ねぎ…¼個分
オリーブオイル…大さじ2
粒マスタード…大さじ1
白ワインビネガー…大さじ1
砂糖・しょうゆ…各小さじ1
塩…小さじ¼
こしょう…少々

ワインビネガーは
フルーツビネガーや
りんご酢でも！

[作り方]

1. サラダ野菜は、洗って冷水にさらし、水気をよくきる。ラディッシュとマッシュルームは薄切りにする。
2. ドレッシングの材料は合わせて、よく混ぜる。
3. 1を器に盛り、食べる直前に2をかけてあえる。

野菜をおいしく食べてもらうには？
息子たちが幼い頃から続いている私の課題です。
小さく刻んでハンバーグに忍ばせたり、
姿が見えなくなるまで煮込んだりと
工夫していましたが、
野菜の姿はそのままでも味付け次第では、
モリモリ食べてくれることを発見。
大人ウケもよく、お酒にもよくあう味です。

鶏ささみをやわらかくおいしく食べるためには、
ひと工夫！　水菜やせりなどの青菜とあえて一品に

鶏と水菜のあえもの

[材料]4人分
鶏ささみ肉…4本
A
- 長ねぎの青い部分…2本分
- しょうがの薄切り…1片分

水菜…3株
B
- ごま油…大さじ2
- しょうゆ…大さじ1
- 練りがらし…小さじ1

[作り方]
1. 鍋に水と**A**を入れ、沸騰したら火を止める。鶏肉を入れ、蓋をして冷めるまでおく(**a**)。
2. 1の鶏肉が冷めて中まで火が通ったら、手で適当に裂く。水菜は洗って水気をきったら、茎を取り、ざく切りにする。**B**はよく混ぜる。
3. ボウルに鶏肉と水菜を入れ、**B**を加えてよくあえたら(**b**)、器に盛る。

鶏を浸した汁は、スープにアレンジ

ねぎとしょうがで鶏の臭みを取る。沸騰した湯につけて冷ますだけ。

ボウルに裂いた肉と水菜、たれを入れてあえる。

さやいんげんをゆでて（レンチンでもいい）、明太子であえるだけ、
これ、ご飯に合うんです

いんげんの明太子あえ

[材料] 作りやすい分量
さやいんげん…1袋
辛子明太子…1本
ごま油…小さじ1
しょうゆ…小さじ½

[作り方]
1. さやいんげんは塩（分量外）を入れた湯でさっとゆで、冷水にとって冷ます。
2. 水気をきり、斜め4等分ぐらいに切る(**a**)。
3. ボウルに入れ、薄皮をはずした明太子、ごま油、しょうゆを加える。
4. よく混ぜたら、器に盛る。

a
さやいんげんはゆですぎないように気をつけて。斜めに切る。

きゅうりに味がしみて、これだけでもご飯がペロリ。
いっぱい漬けても、すぐなくなります

きゅうりのピリ辛マリネ

[材料] 作りやすい分量
きゅうり…3本
塩水…塩小さじ2にきゅうりがかぶるくらいの水
A
砂糖…大さじ1
しょうゆ…大さじ2
酢…大さじ3
おろししょうが…大さじ1
おろしにんにく…小さじ1
ごま油…大さじ1
赤唐辛子の輪切り…1本分
白炒りごま…適量

[作り方]
1. きゅうりは、半分の深さまで斜めに切り込みを入れ、裏返して片面にも同様の切り込みを入れる。塩水に入れて5分おき、へなへなにやわらかくする。
2. **A**をよく混ぜ、容器かチャックつき保存袋に入れ、きゅうりを加えて漬ける。冷蔵庫で1時間以上おく。
3. 食べやすい大きさに切って器に盛り、ごまをふる。

少し辛くて、元気がでる味。
お豆腐や野菜もたっぷり入れて食べるお味噌汁です

韓国風お味噌汁

[材料]4人分

いりこ(煮干し)…8g
水…4カップ
チンゲンサイ…1株
ズッキーニ…½本
納豆…1パック
豆腐(木綿、絹ごしは好み)
…1丁
味噌…大さじ4

[作り方]

1. 煮干しは頭と内臓を取り、鍋に入れる。水を加え、30分以上おく(ひと晩でもOK)。
2. 中火にかけ、煮立ったら弱火にしてアクを取り除き、5〜10分煮る。
3. チンゲンサイは茎と葉に分け、ざく切りに、ズッキーニは薄く輪切りにする。豆腐は好みの大きさに切る。
4. 2の鍋から煮干しを取り、チンゲンサイの茎とズッキーニを入れる。少し茎がしんなりしたら、葉を加え、味噌を溶き入れる。
5. 納豆と豆腐を加え、温まったら、でき上がり。お椀に盛る。

Memo

・韓国のお味噌は煮込んでも風味が消えず、深みがでるのが特徴。これは日本で購入したテンジャン。「清浄園」のスンチャン　テンジャン味(下)とアサリとイワシ入りチゲ用のテンジャン(上)。

・うちでは韓国で購入したいりこやお味噌(テンジャン)を使っています。いりこはカタクチイワシのようですが、日本のより少し大きくて開いてあり、頭とはらわたは取ってあるので使いやすいもの。

具だくさんのとん汁は、大量にたっぷり作り、
次の日もおいしくいただく！
おうどんやすいとんを入れて食べる日も。
かぼちゃを入れて、甘みを加えてもおいしい

とん汁

Memo

・もっとコクがほしい時は、器に盛ってから、さらに香りのいいごま油をたらりと入れることもあります。

[材料] 4人分
豚肩ロース薄切り肉…150g
にんじん…½本
大根…¼本
さといも…小3〜4個
ごぼう…½本
長ねぎ…1本
油揚げ…1枚
こんにゃく（あく抜き済み）…1枚
ごま油…大さじ1
だし…5カップ
味噌…大さじ4〜5
一味唐辛子…好み

[作り方]
1. 豚肉はひと口大、にんじんは7㎜厚さの半月切り、大根は皮をむいて7㎜厚さのいちょう切り。さといもは皮をむいて、1㎝厚さの輪切りにして水にさらす。ごぼうは大きめのささがきにして水にさらす。長ねぎは1㎝幅の斜め切り、油揚げとこんにゃくは短冊に切る。
2. 鍋にごま油を熱し、豚肉を炒める。肉の色が変わったら、野菜を入れる。全体に油が回ったら、だしを入れる。煮立ったら、油揚げとこんにゃくを加える。
3. アクを取りながら、煮る。野菜がやわらかくなったら、味噌を溶き入れる。
4. さらに煮立ったらでき上がり。器に盛り、好みで一味唐辛子を添える。

おはよう、なに食べる？

——ご飯？パン？おかゆ？ 食べたいもので始める朝

朝ごはんを大切にしています。
息子たちはもちろん自分も、
これから始まるラクではない一日を、できるだけ気持ちよく
頑張って過ごすことができるよう。
そのためにも、朝の時間をどう過ごすのか、
何を食べるのかはとても大切なことだと感じています。
3台の炊飯器には、白米、雑穀米や酵素玄米、おかゆ、
あとは、パンやうどん、パンケーキにホットサンド。
食べたいものを食べて1日を頑張る。わが家の朝です。
ごはんとは別の話ですが、朝はできるだけ叱らない、
怒らない、も昔から大切にしていること。
嫌な気持ちで玄関を出たら、
そのまま嫌な気持ちが染み付いた一日になってしまうので。
どんな日も笑顔で元気な声で
「おはよう」「いってらっしゃい」は、
私が大事にしていることです。

PART 5

ある日の和風朝食はこんな感じ。韓国風お味噌汁（p.72）と十六穀入り黒米ご飯、だし巻き卵（p.76）サバの塩焼きとお弁当用に揚げた春巻き（p.15）、鶏と水菜のあえもの（p.70）。

パンを温めたままいただける保温バゲット入れ。

玄米は「蒼の玄米」。雑穀は自分でいろいろブレンドして楽しんでいます。

酵素玄米。専用の炊飯器で炊いています。

だし巻き卵

息子たちが大好きな卵料理のひとつ。
だいたい卵3個で
1本を焼き上げます。
だから3人分だと卵9個。
1日で卵3個になるので、
その前後の食事は
少し工夫しています。
おだしをとって、
丁寧に作ることもありますが、
忙しい日は、混ぜて焼くだけで
おいしい！「だし巻き玉子のもと」に
頼る！これ、最高です。
大根おろしを添えたり、納豆や明太、
ねぎやにら、いろいろ混ぜたり、
いろいろなものをおいしく
仕上げてくれる卵、頼もしい。

［材料と作り方］1本分

1. 小ボウルに**「だし巻き玉子のもと」1個**を入れ、**水80㎖**を注いで混ぜる。
2. ボウルに**卵3個**をときほぐし、1を加えて混ぜる。卵焼き器に油を入れ、ペーパータオルで全体になじませて拭き取り、卵液を数回に分けて流し入れ、焼きながら巻く(**a**)。
3. まな板の上に出し、少し落ち着かせてから切り分け、器に盛る。

やわらかいので箸は無理。ヘラで巻いていく。

茅乃舎の「だし巻き玉子のもと」。フリーズドライの調味料を水で溶いて、卵3個と混ぜるだけ。

おいしくて、色もキレイで、栄養のバランスもいい。
卵はわが家の食卓になくてはならないおいしさです。
家族みんなで大の卵好き。
生で食べる用と調理する用、
両方を常に揃えています。
特にお弁当は、卵があるのとないのでは
目のおいしさも違う。
ゆで卵のオレンジ、卵焼きのやわらかな黄色は、
食欲も期待も満足感も満たしてくれます。
炒めもの、焼きもの、茶碗蒸し、丼ものと
子どもたちが喜ぶメニューのほか、
体づくりも大切にしている長男、次男、私は
ホワイトオムレツやゆで卵、
白身のおいしさも楽しんでいます。

目玉焼き

目玉焼きは、2つの選択。
蓋をしないで、じわじわと
焼き周りをカリッと茶色に、
黄身の色を鮮やかな半熟にするものと、
水を大さじ1ぐらい入れて蓋をして、
黄身に白い膜を作り、
白身もやわらかくかたまるタイプ。
お料理やリクエストに合わせて、作り分けます。

目玉焼き専用のフライパンも持っています。黄身が真ん中にくる優れものです。

ゆで卵

沸騰した湯に入れて8分のゆで卵
ゆで卵には、とってもこだわりがあります。
いろいろ試した結果、
沸騰したお湯に冷蔵庫から出したての
卵を入れるのが、いつでも安定した
火通りになることがわかりました！
私のベストは卵を入れて8分で取り出して
水に入れて冷ます状態。
お弁当の彩りがパッと明るくなるし、
添えるだけでお料理がおいしく見える色と食感。
もっと半熟、もっとかたゆでにしたいなら、
右を目安に！

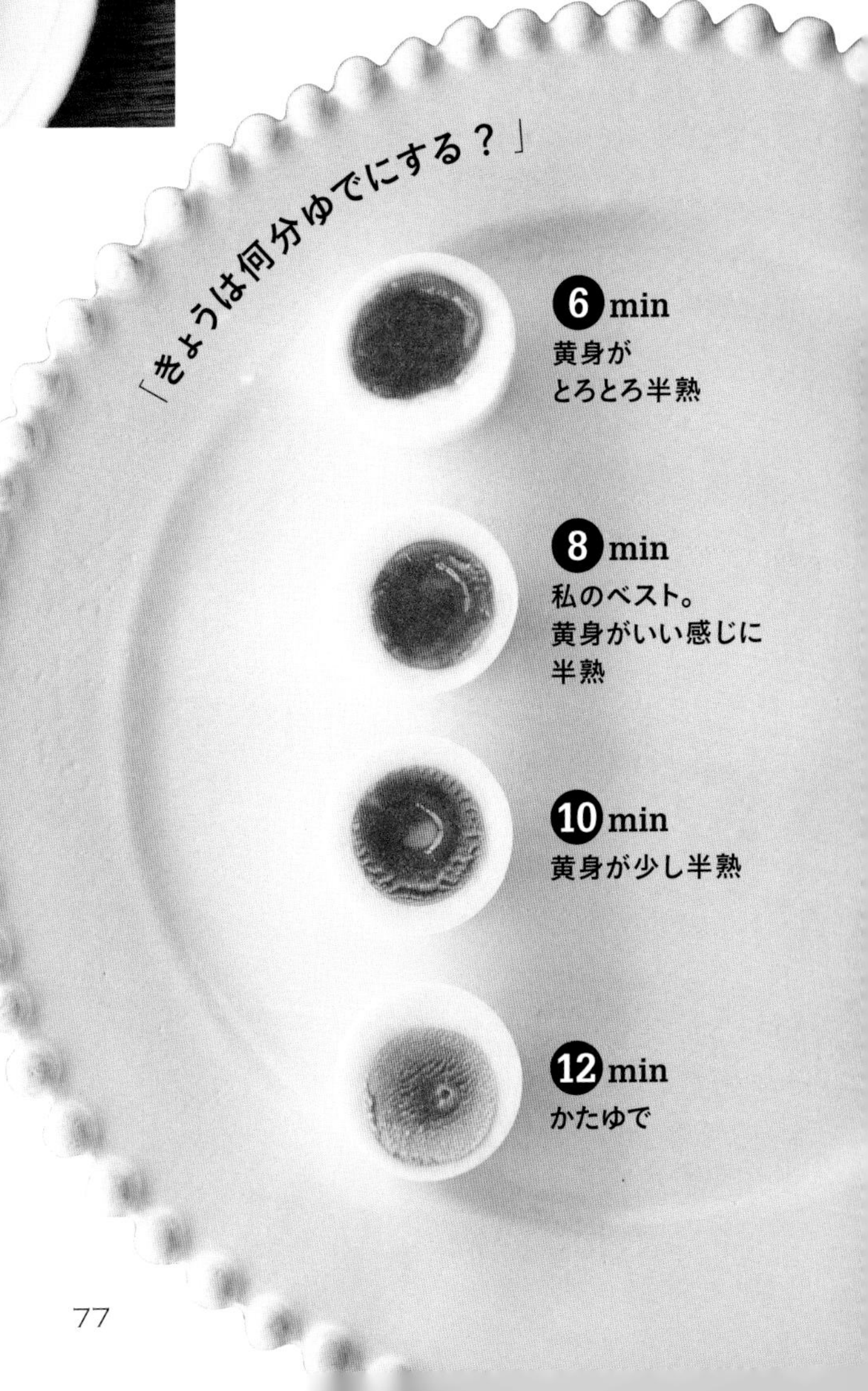

おかゆ4種

基本のおかゆに
シラスと梅干、塩を添えて。
やさしい味が
体と心にしみわたります

シラスのおかゆ

[材料] 2人分
米…½合
水…3カップ(600㎖)
塩…適量
シラス、梅干…各適量

[作り方]

1. 米をといで、分量の水とともに炊飯器に入れ、おかゆモードで設定して炊く。
2. 炊き上がったら、器に盛る。
3. シラスを混ぜ、梅干と塩を添える。

寒い日はもちろん、
夏でも胃腸が疲れていたり、
食欲がなかったりする日は、
おかゆの出番です。
おかゆ専用の炊飯器もあって、
前夜にタイマーセットしますが、
土鍋で炊くこともあります。
シンプルな味から、
具入りの中華風や韓国風など
おかゆの選択肢も
たくさん用意しています。

帆立のうまみが優しくてあったかい。
ねぎ油をかけてもいい味です。
貝柱は水煮缶でも！

帆立貝柱のおかゆ

[材料] 2人分
米…½合
水…3カップ(600㎖)
帆立貝柱(乾物)…小4個
塩…適量
顆粒鶏ガラ(またはシャンタン)
…小さじ1
ごま油…適量
〈薬味〉好みで
白髪ねぎ、ザーサイのみじん切り、
万能ねぎの小口切りなど…適宜

[作り方]

1. 分量の水から1カップをお湯にして耐熱容器に貝柱と入れ、ラップをして電子レンジ500Wで3分加熱する。
2. 水2カップ、米、1を入れてシラスのおかゆと同様に炊く。
3. 炊き上がったら、顆粒鶏ガラと塩ふたつまみを入れて味を調える。器に盛り、薬味を添え、ごま油をかける。

韓国のかぼちゃのおかゆは甘いのですが、私は塩味仕上げ。
漢方にも使われるなつめはいろいろな味のおかゆやスープに入れています

かぼちゃとなつめのおかゆ

滋養強壮、
美容にもいい！

[材料] 2人分
米…½合
水…4カップ(800㎖)
かぼちゃ…¼個
なつめ(ドライ)…2個
塩…適量

[作り方]
1. かぼちゃは皮と種を取り、ひと口大の薄切りにする。
2. 米となつめ、分量の水を入れてひと晩おき、かぼちゃを入れてシラスのおかゆと同様に炊く。
3. 炊き上がったら、塩ふたつまみを入れて味を調える。

なつめ(棗)

漢方では葛根湯に、また韓国では参鶏湯(サムゲタン)にも使われる、健康や美容にいいといわれる実。日本では乾燥品が手に入ります。

薬膳に使う緑豆と冬瓜を入れて炊くおかゆ。
胃を休めたい時はもちろん、むくみや吹き出物、くすみが気になる時にも

緑豆と冬瓜のおかゆ

飲めるくらい
サラサラのおかゆが○

[材料] 2人分
米…½合
水…4カップ(800㎖)
冬瓜…⅙個
緑豆(ムング豆)…大さじ2
塩…適量

[作り方]
1. 冬瓜は皮と種を取り、ひと口大に切る。
2. 米と緑豆、分量の水を入れてひと晩おき、シラスのおかゆと同様に炊く。
3. 炊き上がったら、塩ふたつまみを入れて味を調える。

**緑豆
(ムング豆、
ムングダール)**

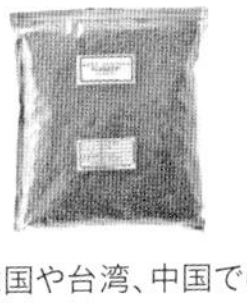

日本ではもやしの原料。韓国や台湾、中国では薬膳、漢方として使われています。緑豆は小さい粒なので、おかゆと炊くと同時にやわらかくなります。前の晩から米と、水に浸すとちょうどいい感じに。

Memo

・土鍋で炊く時は、米と水を入れたら、中火にかけ、白く煮立ってきたら、しゃもじで鍋底に米が付かないように混ぜ、弱火にして蓋をする。そのまま30〜40分炊く。

パンのアレンジができると
かなりラクです。
ただ焼いたトーストにたっぷりバターや
ピーナッツバター、半熟目玉焼き、
それだけでもごちそうだけれど、
ちょっとだけ見え方を変えると
作る側の気分転換にもなるんです。
例えば、トーストに生クリームと
いちごをのせちゃうとか、
ハムと卵をホットサンドにしちゃうとか。
食べる側の「おいしい」や
栄養のバランスはもちろん重要。
でも作る側の「ちょっと新鮮」
「ちょっと楽しい」も大切だなと。
毎日作り続ける気力を支えてくれるのは、
そんなちょっとした気分だと感じています。

色鮮やかで華やぐ野菜。マリネにして付け合わせに

紫キャベツのマリネ

[材料と作り方] 作りやすい分量

1. **紫キャベツ1/4個（約80g）**は芯を取って細切りにする。
2. **塩小さじ1**をふってもみ込み、約15分おく。水気をきり、**マーマレード大さじ1**と**酢大さじ3**、**オリーブオイル大さじ2**を入れ、**粗びき黒こしょう少々**をふる。全体に混ぜたら冷蔵庫で冷やす。

Memo

ホットサンドには、野菜やフルーツ、ヨーグルト、スープをプラス。朝だからこそ、あざやかに、バランスよく、を大切にしています。

食パンに具を挟んで焼くホットサンドメーカー。
ハムチーズ目玉焼き、照り焼きチキンにマヨネーズ、
バナナにチョコレート。なんでも挟んで焼くだけでおいしい!!

ホットサンド

[材料] 1人分
食パン（8枚切り）…2枚
ハンバーグ（p.44）…1個
スライスチーズ（チェダー）…2枚
バター…適量
付け合わせ（ルッコラ、ミニトマト、
紫キャベツのマリネなど）…好み
コーンポタージュスープ（市販）…好み

[作り方]

1. ハンバーグは電子レンジで温める。
2. ホットサンドメーカーの内側両面にバターを薄く塗り(**a**)、パン、チーズ、ハンバーグ、チーズ、パンの順に重ねる。
3. ホットサンドメーカーにのせて挟み(**b**)、両面を焼く(**c**)。
4. こんがり焼けたら取り出し、半分に切って器に盛る。好みで付け合わせを添え、スープを添える。

バターをのせて、全体に薄くのばす。両面に塗る。

パン、具、パンの順にのせて挟む。

塩こしょう、マヨネーズ、
マスタード、ケチャップは
お好みで！

片面約3分ずつが目安。様子を見て、両面こんがり焼く

ジャムに季節のフルーツと
カッテージチーズをのせて
カフェ風オープンサンドに

フルーツのオープンサンド

[材料] 1人分
食パン(6枚切り)…1枚
ジャム(好み)…適量
フルーツ(好み)…適量
カッテージチーズ…大さじ1
ミントの葉(あれば)…好み
アガベシロップ、またはヤーコンシロップ、
メープルシロップ…好みで

[作り方]
1. パンにジャムを塗る。
2. フルーツを食べやすい大きさに切る。
3. パンにフルーツを並べ、チーズを散らす。好みでミントを飾り、シロップをかける。

Memo

考えすぎず、好きなものをのせるだけ♡
私はピーナッツバターにバナナとミントが大好きな組み合わせ。

きょうは
紅茶のジャムと
いちじく！

クロワッサンの食感を変え、ハムや卵でしょっぱくもいけるし、
フルーツやアイスで甘くもいける！

クロワッサンのクイニーアマン風

[材料] 1人分
クロワッサン…1個
メープルシロップ(はちみつでも)…適量
フルーツ(あれば)…適量
カッテージチーズ(あれば)…適量
ミントの葉(あれば)…少々

[作り方]
1. クロワッサンをめん棒で平らにする(**a**)。
2. フライパンを火にかけ、クロワッサンをのせて焼き、メープルシロップ大さじ1を回しかける。
3. ヘラなどで押しつけながら焼く(**b**)。
4. 裏返し、メープルシロップ大さじ1をかけて同様に焼く。
5. 周りがカリッとしたら、器に盛り、好みでフルーツやカッテージチーズ、ミントの葉を添える。

めん棒でのばすようにして平らにする。

メープルシロップの上にのせ、へらなどで押さえながら焼く。

Memo

・海外で滞在したホテルのレストランで見かけたのをヒントに試してみたら大成功(笑)。はちみつでもいいのですが、カリカリの香ばしさはメープルシロップならでは。

パンの種類や厚みで味わいが変わるので、それも楽しみのひとつ。
卵液には砂糖を入れず、食べる時に好みの甘みをプラスして

フレンチトースト

［材料］2人分
食パン（6枚切り）…2枚
A 卵…2個
　牛乳…¾カップ（150mℓ）
バター…適量
粉砂糖…適量
メープルシロップ…適量

［作り方］
1. **A**で卵液を作る。ボウルに卵と牛乳を入れて混ぜる。
2. パンは1〜2分トーストし、1の卵液に浸す(**a**)。1回裏返す(**b**)。
3. フライパンにバター大さじ1を入れて熱し、2のパンを入れる。両面に焼き色をつけたら、バターを少し足して裏返す(**c**)。
4. 両面を焼いたら器に盛り、粉砂糖をふって、メープルシロップをかける。好みで生クリームやジャム、はちみつでも！

Memo
・時短の秘訣はまず軽くトーストすること、です！
・パンは少し焼いてから卵液に浸すと、食感がよくなる♡

a
Aで卵液を作り、軽くトーストしたパンを浸す。

b
一度裏返すと、もう全体にしみている感じ。

c
バターで焼く。裏返したら、バターを足してもう片面も焼く。

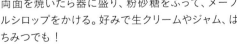

お弁当、なに食べたい？
――「がんばれ！」を箱の中に。
ガッツリ男子弁当

お弁当箱はビンテージショップで見つけたバンダナで包みます。

PART 6

三色そぼろ弁当(p.86)、食べ盛り男子にはさらに肉のせです（笑）

長男が幼稚園の頃から、もう20年近く
お弁当を作り続けてきました。
幼稚園の頃のお弁当箱、こんな小さな箱に
息子たちが喜ぶものをどうやって詰め込もう？
あれこれ工夫し続ける毎日でした。
だんだんと大きくなっていくお弁当箱。
フォークやスプーンがお箸に変わり、
「食べないだろうな」と入れる野菜も、残さず
食べるようになったり、当たり前のようだけれど、
うれしい息子たちの成長。大好物を残してくる日は
心配になったし、一粒残さず平らげた
空っぽのお弁当箱に安心感をもらう。
うまく言葉にできない幼い息子たちの心や体調。
距離をとりたい思春期の息子たちの健康や心具合。
見逃してはいけない大切なことも、
お弁当が教えてくれたなと感じています。
毎日作るのは、正直しんどい。
作らなくていいのなら、それに越したことはないわけで。
でも空のお弁当箱やたまに言ってくれる
「おいしかった!!」「あれ、また作って!!」が
なんとも幸せな気持ちをくれて、
『母ちゃん頑張るよ』と思うのです。

三男が絵画教室で作ったお弁当包み用のバンダナ。カワイイ！

三色そぼろ弁当、
そのままではボリューム不足(笑)。
肉料理をのせるのが、私流

三色そぼろ弁当
肉の味噌漬けのせ

Memo

・ひき肉はポロポロカリカリになるまでよく炒めるとおいしくなります。緑は、しし唐や絹さや、ほうれん草、小松菜などの青菜でも。
・味噌漬けは、たれに肉をひと晩漬けて焼きます。漬ける時は、鶏（もも、むね）、豚（ヒレブロック、とんテキ用）と数種類漬け込んで、お弁当と夕食。朝食に。
・食べるサイズに切ってから漬けると、さらに味がしっかりつきます。

▶三色そぼろ弁当

[材料] 1人分

ご飯…ご飯茶碗大盛1杯分
鶏ひき肉…100g
A
しょうゆ…大さじ½
みりん…大さじ1
砂糖…大さじ1
酒…大さじ½
卵…1個
B
酒…大さじ½
砂糖…大さじ½
塩…少々
さやいんげん…4本
塩…適量

[作り方]

1. 鶏そぼろを作る。鶏肉に**A**をよく混ぜる。フッ素樹脂加工のフライパンに入れて火にかけ、ポロポロになるまでよく炒める。
2. 炒り卵を作る。卵に**B**を入れてよく混ぜる。1のフライパンをきれいに拭いて入れ、ポロポロになるまで炒りつける。
3. さやいんげんは、塩ゆでして、小さく切る。
4. お弁当箱にご飯、1〜3を盛る。

▶肉の味噌漬け

[材料] 作りやすい分量

豚ヒレ肉のかたまり…1本
鶏むね肉…1枚
A
味噌、砂糖、紹興酒
…各大さじ4
黒酢…大さじ2
しょうゆ…大さじ1〜2

[作り方]

1. 容器に**A**の材料を入れて、よく混ぜて味噌だれを作る。
2. 豚肉は3等分、鶏むね肉は半分に切り、1に漬け、ひと晩おく。
3. フライパンにクッキングペーパーを敷き、肉をのせる。焼き色がついたら裏返して蓋をし、火が通るまで焼く。
4. 好みの厚さに切り、器に盛る。

▶お弁当に

三色そぼろ弁当に鶏の味噌漬けをのせて。好みで一味唐辛子をふる。あれば、しば漬けを添える。豚の味噌漬けでも合う。

息子たちの大好物。ご飯を炒めて焼いた肉をのせるだけ。
実はものすごく手抜きでできるお弁当。ぜいたくだけど（笑）

ステーキ弁当

［材料］1人分
ガーリックめし（p.67）…ご飯茶碗大盛1杯分
牛ステーキ用肉…1枚（150〜200g）
塩こしょう・ステーキスパイス（あれば）…各適量
にんにくの薄切り…1片分
サラダ油…大さじ½
しょうゆ…少々
万能ねぎの小口切り（あれば）…少々
クレソン（あれば）…2茎
レモンのくし形切り…1個

［作り方］
1. ガーリックめしを作り、粗熱をとってお弁当箱に入れる。
2. 肉は軽く肉叩きで叩き、元の形にして、塩こしょう、ステーキスパイスをふる。フライパンにサラダ油を熱し、にんにくを入れる。香りが立ったら、肉を入れて、両面を焼く。しょうゆを回しかける。
3. 火を止めて、そのまま少し落ち着かせてから取り出し、食べやすい大きさに切る。
4. 1に3をのせ、一緒に焼いたにんにくを散らし、万能ねぎをふる。クレソンとレモンを添える。

**中国料理の油淋鶏(ユーリンチー)は、
冷めてもおいしい。ソースは別添えで包みます**

揚げ鶏のねぎソース弁当

Memo

サクサク、カリカリにしたい時は2度揚げに。いったん薄くこんがり揚がったら、網に取り出し、5分おいてまた少し高めの揚げ油に入れてきつね色にしっかりと揚げます。熱いので切る時はやけどしないように気をつけてね。

揚げたてを
晩ごはんの
主役に

▶揚げ鶏のねぎソース

[材料]作りやすい分量

鶏もも肉…1枚

〈下味〉

砂糖…小さじ½

マヨネーズ…小さじ1

A 酒…大さじ1
　しょうゆ…大さじ1

片栗粉、コーンスターチ
　…各大さじ2

揚げ油…適量

〈ねぎソース〉

- 長ねぎのみじん切り…½本分
- ごま油…大さじ1
- 赤唐辛子の輪切り…1本分
- しょうゆ…¼カップ(50mℓ)
- 酢…大さじ1
- 水…大さじ1
- 砂糖…大さじ1

レタス…適量

[作り方]

1. 鶏肉は、厚い部分を切り開いて同じ厚さの1枚に広げる。下味をつけて約15分おく。汁気を拭いて、**A**をまぶし、約20分おく。レタスは洗って冷水につけ、パリッとしたら水気をきってひと口大にちぎる。片栗粉とコーンスターチを混ぜる。
2. ねぎソースの材料を合わせる。鶏肉の両面に粉をつける。
3. 揚げ油を熱し、鶏肉の余分な粉を落として入れる。両面がきつね色になり、中まで火が通ったら、網に取り出し、油をきる。
4. 器にレタスをのせ、揚げ鶏を食べやすい大きさに切って盛り、ねぎソースをかける。

▶お弁当に

お弁当箱にご飯を盛り、揚げ鶏をのせる。ねぎソースは別の容器に入れ、食べる時にかける。ゆで卵のラー油を混ぜたマヨネーズのせ、焼き野菜(ズッキーニ、パプリカ)やゆでたとうもろこし、きゅうりのピリ辛マリネ(p.71)、クレソンをのせる。季節のフルーツ(アメリカンチェリー)を添えて。

スパムとガーリックシュリンプの組み合わせ、間違いなし。
家でのお昼ごはんでも喜んで食べてくれるメニュー

ガーリックシュリンプ弁当

▶スパムおにぎり

[材料] 2個分
ご飯…200g
スパムの薄切り…2枚
卵…1個
サラダ油…適量
マヨネーズ…少々
塩・黒こしょう…各適量
焼き海苔…帯状にして2枚

[作り方]

1. スパムはフッ素樹脂加工のフライパンでそのまま両面を焼いて取り出す。
2. 卵をほぐし、塩少々を加え、卵焼き器で薄焼き卵2枚を作る。スパムの大きさに畳む。
3. ご飯に塩少々を加え混ぜ、1杯分ずつ、スパムの大きさに合わせたおにぎりにする。
4. スパムにマヨネーズを塗って黒こしょうをふり、2、3をのせて形を整える。焼き海苔を巻き、ラップで包む。

▶ガーリックシュリンプ

[材料]4人分
殻付きのエビ…中20尾
〈下味〉
　にんにくのみじん切り…4片分
　オリーブオイル…大さじ10（150mℓ）
　塩…小さじ1
　粗びき黒こしょう…少々
バター…50g
クレソン（あれば）…適量
レモンのくし形切り…4個

＊塩こしょうの代わりにクレイジーソルトでも！
＊お弁当用だけなら、この1/4量ぐらいで作ります。

[作り方]

1. エビは背わたを取り、尾をひと節残して殻をむく。保存袋に入れ、下味（オリーブオイルはエビがたっぷり浸かるくらいが目安）を加えて冷蔵庫でひと晩おく。
2. フライパンに1を漬けたオイルごと入れて熱し、炒める。エビに火が通って赤くなったらバターを加え混ぜ、器に盛る。クレソンとレモンを添える。

▶お弁当に

お弁当箱にスパムおにぎりを入れ、ガーリックシュリンプを盛る。レモンとクレソンを添える。

きょう、なに食べる？

——家族が揃う日のメニュー

長男は社会人、次男は大学生、
三男は小学生。
家族全員で食卓を囲むことも
少なくなりました。
それでも月に何度かは、みんな揃って
おいしいものを食べる日もあります。
そんな時は「せっかくだし、何か外に
食べに行こうよ」と誘ってはみるものの
「うちで食べようよ」と言われてしまい、
母頑張る、という流れ。
最近は、息子たちも料理するようになり、

PART
7

■ビーフシチューの献立

お正月やクリスマス、食卓に特別感を出したい時にも活躍してくれるのが
ローストビーフやグラタン。大皿で存在感があるし、ごろっと大きなお肉は目も満足。
普段の食卓に並ぶことの多いメニューも、組み合わせ次第で賑やかさが増します。
ここにケーキやワイン、シャンパンが並べば、
友人たちとのちょっとしたおうちパーティーにも対応できます。
こんな日は、大きめの器があると、それだけでテーブルの上が
華やかになるから、「存在感のある大きな器」を集めておくと、
ラクしておいしい雰囲気、出せます

「一緒に料理する楽しみ」を味わわせてもらっています。年齢も好みも違う3人が、おいしく楽しく過ごすことができるようにと、あれこれ考える時間やこうしてみんなでご飯を食べる日常も、あと少しなんだろうな、と思うと、大切にしたいな、としみじみ。

サラダは数色をミックスしてあざやかに。

息子たちも得意料理が増えました！

白身魚のお刺身と生のマッシュルームを
白髪ねぎと、トマトのドレッシングで。
お好みでマヨネーズとレモンを混ぜたものをかけてもおいしい

白身魚のカルパッチョ

[材料]4人分

A
- トマト(赤いもの)…中1個(約150g)
- おろしにんにく…1片分
- 塩…小さじ1
- 白ワインビネガー…小さじ2
- オリーブオイル…大さじ2
- はちみつ…大さじ1
- エキストラバージンオリーブオイル…大さじ1

白身魚のお刺身…1サク
マッシュシューム…5個
レモン汁…½個分
長ねぎの白部分…1本
塩…適量
白ワインビネガーか酢…小さじ1
チャイブ(または万能ねぎ)のざく切り…好み

[作り方]

1. Aを作る。トマトは半割りにして種を取り、ざく切りにする。ボウルにトマトと残りの材料を入れて混ぜ、20以上冷蔵庫に入れる。
2. 白身魚は斜め薄切りにして器に盛り、ワインビネガーを回しかけたら冷蔵庫でなじませる。
3. マッシュルームは薄切りにして、レモン汁をかけ、色止めする。長ねぎはせん切りにして、水にさらし、よく水気をきる。
3. 食べる直前に2を冷蔵庫から出し、3を盛り、1をかけ、チャイブをふる。

シラスとカラスミ、アンチョビの味と
カプレーゼ。ワインにも合います

ブルスケッタ2種

トマトは
さっと炒めると
おいしくなる!

[材料]8個分
バゲット…1本
おろしにんにく…適量
バター…適量
塩こしょう…適量

▶シラスとカラスミ
シラス…約40g

A
- マヨネーズ…大さじ1
- おろしにんにく
  …小さじ½
- 塩こしょう…適量

アンチョビフィレ…1切れ
カラスミ(あれば)…½本
イタリアンパセリ(あれば)…好み
粉チーズ…適量
オリーブオイル…適量

▶カプレーゼ
ミニトマト…6個
ミニモッツァレラチーズ…6個
塩こしょう…適量

B
- おろしにんにく…小さじ½
- 塩…小さじ¼
- 粗びき黒こしょう…少々
- 白ワインビネガー…小さじ½
- はちみつ…小さじ½
- オリーブオイル…大さじ1

バジルの葉(あれば)…好み
オリーブオイル…適量

[作り方]

1. バゲットを約1cm幅の斜め切りにする。おろしにんにくをパンの片面に薄く塗り、バターを塗る。オーブントースターで軽く焼く。
2. シラスとカラスミを作る。ボウルにシラスとAを混ぜる。アンチョビは斜め切り、カラスミはすりおろす。
3. 1にシラスを盛り、アンチョビひと切れをのせ、カラスミを散らす。イタリアンパセリを飾り、上から粉チーズと塩こしょう、オリーブオイルをかける。
4. カプレーゼを作る。Bをボウルに入れ混ぜておく。トマトは半分に切り、オリーブオイルでさっと炒め、塩こしょうをしてBに混ぜる。チーズは半分に切る。バジルの葉は粗みじん切りにする。
5. 1にBとチーズをのせ、オーブントースターに入れ、チーズが少し溶けるまで焼く。バジルを散らし、オリーブオイルを回しかける。

牛すね肉を赤ワインで煮込んで、ビーフシチューの素を入れるだけ。
カレー（P.47）と同じでじゃがいもは別でゆでてあと添えで。たっぷり作り、残りは冷凍に

ビーフシチュー

［材料］10皿分
牛すね肉…800g～1kg
塩こしょう…適量
にんじん…2本
玉ねぎ…3個
バター…適量
赤ワイン…1カップ（200㎖）
水…適量
ビーフシチューの素…10皿分
塩…適量

〈付け合わせの材料と作り方〉

ブロッコリー1/2個は小房に分け、塩ゆでする。パスタ（フェットチーネ）200gは表示通りゆでで、バターで炒めて塩こしょうする。クレソン1束は茎を少し切る。

［作り方］

1. 牛肉は大きめに切り分け、筋を切る。玉ねぎは半分に切って、約7㎜幅に切る。にんじんは乱切りにする。
2. 鍋にバター大さじ1を熱し、肉を並べ入れる。両面に焼き色がついたら、軽く塩こしょうして取り出し、そこににんじんと玉ねぎを入れて炒める。
3. 全体に油が回ったら、肉を戻し（**a**）、赤ワインを注ぎ入れる（**b**）。水3カップを加え、煮立ったらアクを取り、弱火にして蓋をし、約2時間、肉がやわらかくなるまで煮込む。途中でアクを取り、水分が少なくなったら水を足す。
4. ビーフシチューの素を入れて溶かし混ぜ、弱火で約30分煮て、塩味を調える。
5. 器に盛り、付け合わせを添える。

※次男はじゃがいもが好きなので、別にゆでて盛り付けの時に添えます。

a 肉に焼き色をつけて一度取り出し、野菜を炒めてから肉を戻す。

b 赤ワインと水を加えて、肉がやわらかくなるまで煮込む。

c 野菜はにんじんと玉ねぎだけなので、残ったら冷凍保存できる。

Memo

・ビーフシチューの素はなんでもいいから違う2種類を合わせて使うのがおすすめ！
・こってりしたい時はルーを増やして。

なすの揚げびたしの献立

私が大好きな料理のひとつ。
週末には必ずといっていいほど
作りたくなります！
薬味たっぷり、ちょっとピリ辛で
ご飯がすすむ、すすむ。
作りたてでも、冷やしてもおいしい。
数日はもつので、多めに作ります。
この日は、銀ダラの西京漬けを焼いて、
空心菜炒め、豆腐とわかめのお味噌汁、
ご飯は玄米を組み合わせました。

なすは、揚げると甘くておいしい！
焼いた厚揚げもこのたれによく合います

なすの揚げびたし

［材料］作りやすい分量

〈漬けだれ〉

- 長ねぎのみじん切り…大さじ2
- にんにくのみじん切り…大さじ1
- しょうがのみじん切り…大さじ1
- 豆板醤…小さじ1～2
- しょうゆ…大さじ6
- 砂糖…大さじ2
- みりん…大さじ6
- 酢…大さじ4

なす…6本
しし唐…10本
厚揚げ…1枚
揚げ油…適量

［作り方］

1. 漬けだれの材料を混ぜて(**a**)、保存容器に入れる。
2. なすは1㎝幅に切り、油で揚げる。やわらかくなったら、1に入れる(**b**)。しし唐は軸を切り、揚げ油に入れ、鮮やかな色になったら1に入れる。厚揚げはフライパンで上下をこんがり焼き、12等分ぐらいのひと口大の薄切りにして、1に入れる。
3. なすは一度上下を返し、そのまま冷ます。保存する場合は、粗熱がとれたら冷蔵庫に入れる。

a 漬けだれの材料をすべて混ぜる。

b なすを揚げて、漬けだれに入れていく。裏返したら重ねてもいい。

Memo

たれを作るのが面倒な時はすき焼きのたれに酢と豆板醤を混ぜて作ることもあります(p.60)。

▶空心菜炒め

〈材料と作り方〉作りやすい分量

空心菜1把は、洗って水気をきり、4㎝長さに切る。フライパンに**ごま油大さじ½**を熱し、**にんにくのみじん切り½片分**と**赤唐辛子の輪切り1本分**を熱し、香りが立ったら空心菜を入れ、さっと炒めて、**塩こしょう**し、器に盛る。

冷やしうどんの献立

暑い時季に多いのは、
稲庭うどんや半田そうめんの献立。
めんにつけづゆと
薬味（おろししょうが、万能ねぎの小口切り、大葉のせん切り、みょうがのせん切り）と鶏と卵のねぎだれ、
ちくわのあおさ揚げ、焼きなす、
きゅうりのピリ辛マリネ（p.71）、
トマトなど、夏バテしないように
しっかり食べます。

**アオサを入れると、さらに
あとを引くおいしさに**

ちくわのアオサ揚げ

[材料] 4人分
ちくわ…小10本
天ぷら粉…½カップ（50g）
水…80mℓ
アオサのみじん切り…小さじ1
揚げ油…適量

[作り方]
1. ちくわは斜め半分に切る。
2. ボウルに天ぷら粉を水で溶き、アオサを加える。
3. 揚げ油を熱し、ちくわに2をつけながら揚げる。カリッとなったら上げて油をきり、器に盛る。

a アオサは、細かくみじん切りにして入れる。

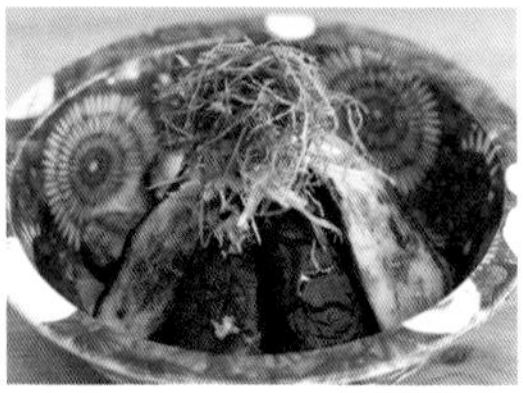

**シンプルになすを焼く時は、
ごま油と薬味たっぷりで！**

焼きなす

すりおろした
しょうがの鮮明な味は
元気がでます！

[材料] 4人分
なす…3本
ごま油（またはサラダ油）…大さじ1〜2
A
おろししょうが…大さじ1
しょうゆ…大さじ1
みょうがのせん切り（あれば）…1本分
青じそのせん切り（あれば）…5枚分

[作り方]
1. なすはヘタを取り、縦4等分の薄切りにする。
2. フライパンに油を熱し、なすの両面に焼き色をつける。火が通ったら器に盛る。
3. Aを混ぜて2にかけ、みょうがと青じそを盛る。

**焼いた鶏と卵にねぎだれを
加えてさっと炒める！**

鶏と卵のねぎだれ

[材料] 4人分
鶏もも肉…2枚
〈下味〉
マヨネーズ…小さじ1
砂糖…小さじ2
卵…4個
塩こしょう…適量
サラダ油…大さじ½

〈ねぎだれ〉
長ねぎのみじん切り…1本分
おろしにんにく…1片分
砂糖…小さじ1
顆粒シャンタン
（または鶏ガラ）…小さじ1
レモン汁…½個分
ごま油…大さじ3
塩・粗びき黒こしょう…各少々

[作り方]
1. 鶏肉はひと口大に切り、下味と混ぜて15分以上おく。
2. ねぎだれの材料を混ぜる。
3. フライパンにサラダ油を熱し、1を入れる。片面に焼き色がついたら裏返し、蓋をして中まで火を通す(a)。余分な油は拭き取る。塩こしょうをふり、取り出す。
4. サラダ油を少し足し、卵を溶いて塩こしょうした卵液を加える。半熟になったら粗い炒り卵を作り、3の鶏肉を戻し、たれを加えてさっと炒め、器に盛る。

a 鶏肉はこんがりと焼き色をつけ、途中蓋をして中まで火を通す。

マーボー豆腐の献立

長男と三男が大好きなおかずのひとつ、マーボー豆腐に、トマトときくらげの卵炒めを用意、これにプラス、空心菜炒め（p.95）、チャーハン（p.40）、スープを作ります。

Memo

息子たちが好きなのは脂が少ない赤身のひき肉。色が変わってカリカリになるまで炒めると、肉の臭みがとれておいしくなります。

マーボー豆腐の素

さまざまなプロのレシピや市販のソースで作って試した結果、私は「中華街の麻婆豆腐がつくれるソース　四川式」（横浜大飯店）にたどりつきました。花椒がきいて好みの味です。

歯応えのある木綿豆腐、
しっとりつるんの絹ごし豆腐。
どちらにするかは、その日の気分次第で

マーボー豆腐

［材料］4人分
豚ひき肉…150g
にんにくのみじん切り…1片分
しょうがのみじん切り…2片分
豆腐…1丁
麻婆豆腐の素（市販）…1袋
長ねぎのみじん切り…½本分
ごま油…小さじ1

［作り方］
1. フライパンにごま油を熱し、にんにくとしょうがを炒め、香りが立ったら、ひき肉を入れてよく炒める。途中でてくる余分な汁をペーパーで取る(**a**)。
2. ひき肉がポロポロになったら(**b**)、麻婆豆腐の素を入れて混ぜる。豆腐を8～12等分に切って加え、そっと混ぜる。豆腐が熱くなったら最後にねぎを加え混ぜ、器に盛る。

炒めている間に出てくる余分な油と水分はペーパーで拭き取る。

ポロポロになるまでよく炒めるのが、おいしく仕上げるコツ。

市販のソースも
しょうがとにんにくの
ひと手間を加えるだけで
おいしさUP！

独特の食感のきくらげ。
しゃぶしゃぶ用や薄切りの豚肉を入れてもおいしいです

トマトときくらげの卵炒め

［材料］4人分
トマト…中3個
きくらげ…6枚
長ねぎ…½本
卵…4個
にんにくのみじん切り…½片分
しょうがのみじん切り…½片分
ごま油…適量
A　顆粒シャンタン
　（または顆粒鶏ガラ）…小さじ1
　オイスターソース…大さじ1
　しょうゆ…小さじ1
塩こしょう…適量

［作り方］
1. トマトは8等分のくし形切り。きくらげは生なら半分に切り、乾燥なら戻して半分に切る。長ねぎは斜め薄切りにする。卵は割りほぐす。
2. フライパンにごま油大さじ1を中火で熱し、にんにくとしょうが、ねぎを炒める。香りが立ったら、きくらげを炒め、トマトを加える。さっと炒めたら(**a**)、**A**を順に加え混ぜる。具を片端に寄せ、空いた部分に卵を入れる(**b**)。
3. 卵が半熟状になったら大きく全体を混ぜる。卵に火が通ったら、塩こしょうで味を調え、器に盛る。

トマトを入れたら、全体に油を回す感じでさっと炒める。

具を寄せて空きに卵を入れる。周りに火が通ったら大きく混ぜる。

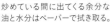

ちょっと ごちそう

思っているより
ずっと簡単に仕上がる
ローストビーフは、
わが家の食卓に
よく並ぶメニューのひとつ。
厚めに切ったり、薄く切ったり、
各自、自分の好きな厚さに
切っていただきます。残ったら
（なかなか残ることはないですが）、
薄切りにして、
スライスした長ねぎを
砂糖としょうゆで
こっくり炒めたものとあえ、
フライドオニオンを散らしたものを
ご飯の上にのせ、
とろける温玉を添えた
ローストビーフ丼。
翌日の1食分はこれで大満足。

**ちょっと早いかなというくらいでオーブンから取り出し、
アルミホイルにくるんで30分くらい保温するのが、しっとり仕上げのコツ**

ローストビーフ

[材料] いつも作る分量
牛ローストビーフ用かたまり肉…1.2kg
塩…適量(肉の重量の1%が目安)
粗びきこしょう…適量
ステーキスパイス・ローズマリー…あれば各適量
おろしにんにく…1片分
サラダ油…大さじ1
残り野菜(にんじん、長ねぎ、ごぼう、キャベツなど)…適量
わさび、粗塩、にんにくじょうゆなど…好み
〈付け合わせ〉
マッシュポテト(p.63)、
いんげんのソテー、ミニトマト(あれば)…好み

[作り方]
1. 牛肉は冷蔵庫から出し、室温(20℃)くらいに戻す。塩、こしょう、にんにく、あれば、ステーキスパイス、ローズマリーを表面全体にこすりつける(**a**)。
2. オーブンを220℃に予熱する。焦げ防止のため、天板に残り野菜を肉がのせられるぐらい敷く(**b**)。
3. フライパンにサラダ油を強めの中火で熱し、1の牛肉を入れる。全体に焼き色をつけたら(**c**)、2の天板の上にのせて(**d**)、20〜40分焼く。
4. 取り出したら、アルミホイルに包んで、そのまま30分おく(**e**)。
5. 薄切りにして器に盛り、付け合わせ、わさびやにんにくじょうゆ、塩を添える。

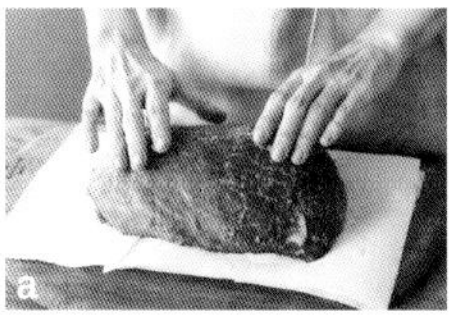

牛肉は室温に戻し、塩、こしょう、ステーキスパイスをこすりつける。

天板に野菜の切れ端を適量のせる。にんじん、ねぎなどなんでも。

フライパンにサラダ油を熱し、強めの中火で全体に焼き色をつける。

天板の野菜の上に牛肉をのせ、オーブンで20〜40分焼く。

アルミホイルに包んでそのまま30分おく。

好みの厚さの薄切りにして、器に盛る。

▶いんげんのソテー
[材料と作り方]
いんげん1袋は軸を切り、**オリーブオイル大さじ1**で炒め、**粗びきこしょう**と**塩**で味を調える。

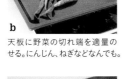

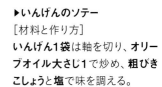

■鍋もの

正直、『毎日鍋でもいいかい？』と思っています（笑）
味良し、バランス良し、ヘルシーで体も温まる、
そして何よりラク!!とはいっても、
さすがにそうはいかないのです。
疲れた日、時間のない日、レシピを考えるのを
放棄したい日、のために鍋のレパートリーは
かなり多く用意しています。
味噌、チゲ、石狩、豆乳、坦々、トマト、水炊き、すき焼き、中華、
土手鍋、つみれ、もつ煮、ちゃんこ、まだまだいろいろある。
味をつけて、あとは具材を入れるだけでいいなんて。
ほんとに助かります。
今回は、その中でも数秒でできる簡単な味付けをご紹介。
お肉の種類を変えたり、野菜を変えるだけで、
飽きなくておいしい！

完熟のトマトと玉ねぎとごぼうをすき焼きのたれで煮て、バジルをたっぷりのせ、すき焼きに。
甘辛いたれとトマトの組み合わせが新鮮で、おもてなしにも大好評。
バジルの香りが独特なので、三男が食べる時にはバジル抜きとお鍋2つにしています

トマトすき焼き鍋

［材料］4人分
トマト（完熟）…中6～8個
玉ねぎ…3個
ごぼう…1本
にんにく…2～3片
バジルの葉…好みで
すき焼きのたれ（ストレート）…360㎖
牛すき焼き用肉…400g
卵…4個

［作り方］
1. トマトはヘタを取り、8等分に切る。玉ねぎは7㎜幅の半月切り、ごぼうはピーラーで薄く切り、水にさらす。にんにくは薄切りにする。バジルは葉だけにする。
2. 鍋に玉ねぎとにんにくを入れ(**a**)、上にごぼうとトマトをのせる。すき焼きのたれを注いで(**b**)火にかける。食卓に卵はそれぞれの器で溶きほぐしておく。
3. トマトに火が通ったら、バジルを加える(**c**)。煮立ったら(**d**)、牛肉を入れて、好みの加減に火を通し、トマトやバジル、玉ねぎとともに溶き卵につけて食べる。

a 鍋に玉ねぎとにんにくを入れる。

b ごぼうとトマトを加えて、すき焼きのたれを注いで、中火にかける。

c トマトに火が通ったら、バジルを加える。

d 再び煮立ったら、牛肉を入れ、好みの火通りになったら、食べ頃に。

Memo

すき焼きのたれは、ストレートタイプを使用。商品よって味が違うので、味見して水を足すなど調整します。薄くなりすぎないように。濃いめがおいしいです。豚肉でも◯。しめはご飯を入れてリゾット風にしたり、うどんもおいしい。

私的にごぼうが最高。
豚肉でもおいしいです！

上はだししゃぶしゃぶ鍋。肉でねぎを巻くように取り、卵をつけて。
下は豚骨しゃぶしゃぶ鍋。最後は中華麺を入れて、つるっとしめます

豚しゃぶ鍋3種

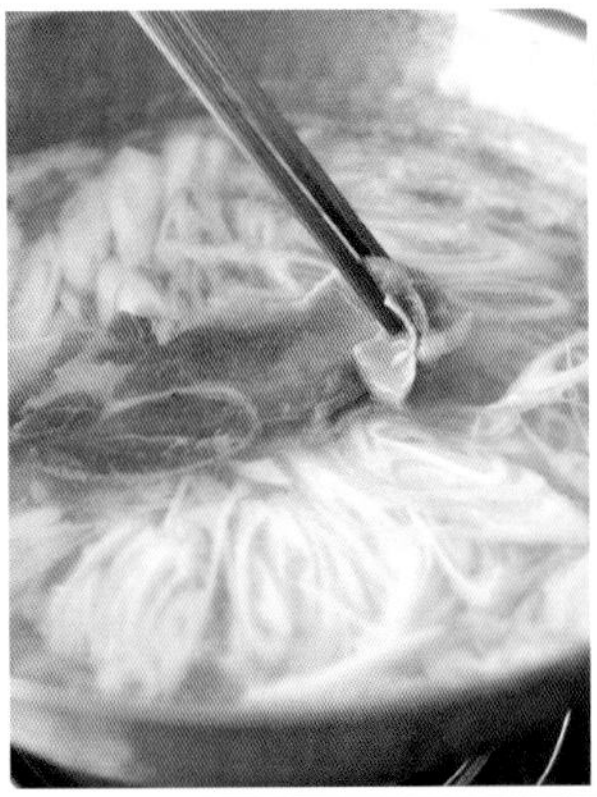

豚しゃぶしゃぶ肉で鍋

もう今日はなにも作りたくなーい!!
という時はこれ。
和風だしととん骨スープ味で作る
しゃぶしゃぶ鍋はどちらもそれぞれ
おいしくて、いくらでも食べられます！
あっさりめの肩ロースと濃厚バラ肉を半々で用意、
ほんとうは肉、この倍は必要です（笑）。
もうひとつは白菜と豚肉だけ。
こちらもシンプルながら、おいしいです！

**豚と白菜の組み合わせ。毎日食べたいおいしさです。
ロースやバラ、肩ロース。
お肉の部位を変えるだけでも味わいが変わります**

豚しゃぶと白菜の鍋

きょうは
どれにする？

［材料］4人分
豚肩ロースしゃぶしゃぶ用肉…500g
白菜…1/4個
顆粒シャンタン…大さじ1
ポン酢…好みで

［作り方］
1. 白菜の葉をばらし、間に豚肉を挟む（a）。
2. 3等分に切り、鍋に並べ入れる（b）。
3. ひたひたの水（分量外）を入れ、シャンタンを加える。
4. 蓋をして火にかけ、白菜がやわらかくなるまで煮る。

Memo
・外食が続いた時、体重が増えてしまった時の私の調整食もこれ。最後に、塩こしょうで味を調えて。

a
白菜の葉4枚1組にして間に豚肉を挟んで重ねる。

b
鍋の高さより少し低い幅で切り、鍋の側面に沿ってぎっしり埋める。

**おいしい白だし（市販）でしゃぶしゃぶに。
なければめんつゆで！すき焼きみたいに卵をつけて食べる**

だししゃぶ鍋

［材料］4人分
豚肩ロースしゃぶしゃぶ用肉…300g
豚バラしゃぶしゃぶ用肉…300g
長ねぎ…5〜6本
白だし（市販）…適量
卵…4個

［作り方］
1. 長ねぎは斜め薄切りにする。
2. 鍋に白だしを入れ、味を見てお吸い物より少し濃いめに調整して、汁を深さ半分ぐらいまでにする。卵はそれぞれの器に溶いておく。
3. 鍋を火にかけ、煮立ったら、長ねぎをたっぷり入れる。再び煮立ったら、豚肉を入れ、色が変わって火が通れば、溶き卵につけて食べる。途中で長ねぎは足す。

Memo
ねぎはたっぷり用意して。

**ラーメン好きな息子たちが喜ぶかな、と
思って試したら、これもおいしい！
ゆず塩につけて食べるとさわやか**

とん骨しゃぶ鍋

［材料］4人分
豚肩ロースしゃぶしゃぶ用肉…300g
豚バラしゃぶしゃぶ用肉…300g
長ねぎの斜め薄切り…5〜6本分
顆粒とん骨…適量
塩、ゆず塩…好みで
中華麺…2玉

［作り方］
1. 鍋にとん骨スープを飲めるより少し濃いめに深さ半分くらいまで作る。火にかけ、煮立ったら長ねぎをたっぷり入れ、再び煮立ったら、豚肉を入れ、色が変わって火が通れば、器に取る。好みでゆず塩か塩をつけて食べる。途中で長ねぎは足していく。
2. 最後は中華麺を足して火が通ったらいただく。

顆粒とん骨
使っているのは、顆粒状の「白湯《バイタン》（豚骨）スープ」（ユウキ食品）。白濁になり、コクがあります。なければ鶏ガラスープのあっさり味もいけます。

青汁

野菜が足りない時はこれを活用。「ほんとうにおいしい青汁」(p.116)。寒い日はお白湯で溶き、ホットにして飲みます。

おまけ

私、なに食べる？

——美と体調を整えるレシピを少しだけ

みんなで同じものを食べて、「おいしい」を「共に感じる」ことを大切にしています。

でも、栄養のバランスを見ても、代謝のいい食べ盛りの息子たちと、なんでも同じものを、というわけにもいきません。

なので、毎日の食卓にも1品2品は大人用のメニューを組み合わせています。

副菜で加えることもあれば、メインの調理方法を変えることもあります。

たとえば息子たちはヒレカツ、私はヒレの味噌焼き。

息子たちは照り焼きチキン、私はそのまま焼いて(皮なし)、ポン酢や塩こしょうや薬味でいただくとか。

パスタも息子たちは生パスタ、私は黄えんどう豆の麺にするとかいろいろ工夫しています。

最後の「私、なに食べる？」では、そんな私の調整メニューを少しだけご紹介します。

私の朝食はジュースかスムージー

何時に寝ても朝は5時起き、週末は少しゆっくりで7時。
そんな毎日を支えているのがビタミンたっぷりのジュースやスムージーです。
わが家にはフルーツの種も砕いてしまうバイタミックス（Vitamix　高機能ブレンダー）と
コールドプレスジュース用のジューサー（低速回転で圧縮）があります。
フルーツや野菜を丸ごといただく。満腹感がほしい時はバイタミックスで、
すっきりゴクゴク飲みたい時はコールドプレスにします。

スムージーの組み合わせはたくさんあります。
その中から子どもたちのためにもよく作る2つはこれ

スムージー2種

▶ベリーベリースムージー

[材料]　作りやすい分量
いちご…1パック
ブルーベリー…1パック
バナナ…1本
豆乳…100〜150mℓ

便秘改善
美肌
抗酸化
むくみ

[作り方]
1. いちごはヘタを取る。バナナは皮をむく。
2. 材料をすべてバイタミックスに入れ、なめらかになるまで攪拌する。

▶グリーンスムージー

[材料]　作りやすい分量
小松菜…2株
りんご…½個
バナナ…1本
水…50〜100mℓ

美肌
免疫力UP
疲労回復
むくみ

[作り方]
1. 小松菜は根元を切る。りんごは皮つきのままざく切り、バナナは皮をむく。
2. 材料をすべてバイタミックスに入れて、なめらかになるまで攪拌する。

くだものと一緒にしぼれば、
にんじんもおいしく飲めます

にんじん、りんご、オレンジのジュース

[材料] 400mℓ分
にんじん…1本
りんご…1個
オレンジ…1個

ビタミン補給
免疫力UP
むくみ
デトックス
美肌

[作り方]
1. にんじん、りんごはざく切りに、オレンジは外皮をむく。
2. ジューサーにかける。

Memo

・その日の体調によって組み合わせを決めます。ジュースはもちろん、ドレッシングやスープも作ります。アーモンドやカシューナッツでミルクを作ることも。自分で自分のために「おいしい」が作れる楽しさは格別。

どんな味になるのか？
作る工程もワクワクします

温かいスープは元気のもと。
疲れを感じたら、作りたくなるレシピです。

体と心を整えるスープ

食べすぎ、飲みすぎた翌朝にもおすすめ。
辛くしたい時は最後にラー油をふります

サンラータン風スープ

[材料] 4人分

椎茸…4枚
生きくらげ
　…2〜3個(乾物なら戻す)
トマト…中1個
もずく(味なし)…150g
水…4カップ(800㎖)
顆粒シャンタン…大さじ2
黒酢…大さじ2〜3
塩…小さじ1
こしょう…少々
卵…1個
しょうがのせん切り
　…適量

[作り方]

1. 椎茸は軸を取って薄切り、きくらげは千切り、トマトはざく切りにする。
2. 鍋に水とシャンタンを入れて火にかける。煮立ったら、1を入れて5分煮る。もずくを加え、煮立ったら黒酢を加え、塩こしょうで味を調える。
3. 再び煮立ったら、卵を溶いて回し入れる。卵に火が通ったらでき上がり。器に盛り、しょうがのせん切りを添える。

Memo

・もずくは腸内環境を整え、美肌効果も期待できる体にうれしい食材、酢との相性も抜群。酸味の加減はお好みで。シャンタンスープがなければ、鶏ガラスープでも。お豆腐を入れても優しい食べ心地。

体が冷えた朝は
スープで温まります

野菜のポタージュ

[材料] 4人分

じゃがいも…中2個
にんじん…1本
玉ねぎ…1個
バター…6g
顆粒コンソメ…小さじ2
水…2カップ(400㎖)
牛乳…½カップ(100㎖)
塩こしょう…適量
生クリーム、黒こしょう…好み

[作り方]

1. じゃがいも、にんじん、玉ねぎは薄切りにして鍋に入れ、バターで炒める。油が回ったら、水を注ぐ。
2. 煮立ったら弱火にしてコンソメを加え、野菜がやわらかくなったら、牛乳を加える。
3. 2の粗熱をとったら、バイタミックスに入れ、なめらかになるまで攪拌する。鍋に戻して塩こしょうで味を調え、温める。
4. 器に盛り、好みで生クリーム、黒こしょうをかける。

Memo

・野菜ならなんでもいいんです。コンソメスープでやわらかく煮て、バイタミックスにかけるだけ。お腹と心にも優しいポタージュです。

コラーゲンたっぷりで、美と健康のスープ。
たっぷり作って、数日はいただきます

鶏手羽元とトマトのスープ

[材料]4人分
鶏手羽元…12本
玉ねぎ…1個
にんにく…3片
トマトソース缶(p.114)…3〜4缶
顆粒コンソメ…大さじ1
水…3カップ(600mℓ)
ローリエ…1枚
カリフラワー…½株
サラダ油…適量
塩こしょう…適量
サワークリーム(あれば)…適量
ディルの葉(あれば)…好み

[作り方]
1. 玉ねぎとにんにくは薄切りにする。
2. 鍋にサラダ油大さじ½を熱し、にんにくを炒める。香りが立ったら玉ねぎを入れる。しんなりするまで炒めたら、取り出す。
3. サラダ油大さじ1を足し、鶏肉を入れて焼く。表面全体に焼き色がついたら、2を戻す(a)。トマトソースと水を加える。
4. 煮立ったら、弱火にしてアクを取り、コンソメ、ローリエを入れて蓋をする。途中、時々アクを取りながら30分〜1時間ぐらい煮る。途中、煮詰まらないよう水を足してスープ状を保つ。
5. カリフラワーを小房にしてゆでる。
6. 器に盛り、カリフラワーをのせ、好みでサワークリームとディルを添える。

a
鶏肉に焼き色をつけたら、にんにくを入れ、炒めた玉ねぎを戻す。

鶏肉がホロホロとやわらかくなったら、骨からはずし、ゆでたマカロニを入れれば、三男のランチに！

豆乳や牛乳を入れるとまろやかになって、また違うおいしさ。お肉がなくなったら、ニョッキやラビオリを入れても楽しめます。

調整サラダ

私用のメニューに必ず用意するのが「サラダ」。
タンパク質をプラスしたものやフルーツやチーズをプラスしたもの。
冷たいサラダや温かいサラダ。いろいろサラダを作ります。

野菜が足りてないな、という時に作るサラダです。
噛み応えもあって満足感高！

にんじんと豚しゃぶのサラダ

［材料］作りやすい分量
にんじん…1本
豚肩ロースしゃぶしゃぶ用肉…150g
酒…大さじ1
A
　おろしにんにく…小さじ1
　ごま油…大さじ2
　白炒りすりごま…大さじ1
　しょうゆ…小さじ2
　塩こしょう…少々
クレソン（せり、三つ葉でも）…½束

［作り方］
1. にんじんはピーラーで薄切りにして塩をふり、しんなりさせる。クレソンは茎のかたい部分は除き、ざく切りにする。
2. **A**をよく混ぜる(**a**)。
3. 鍋に湯を沸かし、沸騰したら水大さじ2を入れて温度を下げ、酒を入れる。豚肉を入れて色が変わったら取り出す(**b**)。
4. ボウルににんじんと3を合わせ、2を注いであえてから(**c**)、クレソンを加え混ぜ、器に盛る。

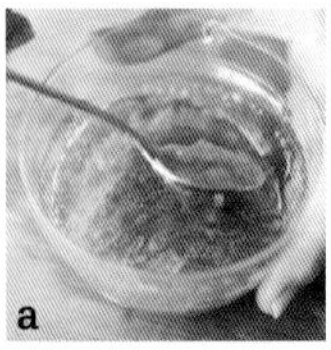
a **A**をとろみが出るまでよく混ぜる。

b 豚肉は水で少し温度を下げた湯につけて色が変わったら取り出すのがポイント!!

c にんじんと豚肉を**A**でよくあえ、最後にクレソンはさっと混ぜる。

a

ベリー類とカッテージチーズ、メープルシロップはよく混ぜる。

b

ベビーリーフとドレッシングをあえる。

c

最後に全部をあえて、器に盛る。bとは食べる直前に！

疲れを癒すサラダ。彩りも美しいので
食卓もあざやかになります

ベリーとカッテージチーズのサラダ

［材料］作りやすい分量

いちご…6〜8粒
ブルーベリー…50g
メープルシロップ…小さじ2
カッテージチーズ…50g
〈玉ねぎドレッシング〉
　おろし玉ねぎ…¼個分
　オリーブオイル…大さじ2
　白ワインビネガー…大さじ1
　塩…小さじ¼
　砂糖…小さじ1
　しょうゆ…小さじ1
ベビーリーフ…1袋

［作り方］

1. いちごは1粒を縦4等分に切る。ボウルに入れ、ブルーベリー、メープルシロップを入れて混ぜる。カッテージチーズも加えてあえる。
2. 玉ねぎドレッシングの材料を合わせて、よく混ぜる。
3. ベビーリーフは洗ってよく水気をきる。
4. 食べる直前にボウルに3を入れ、2であえ、1を加えて全体を混ぜ、器に盛る。

食器と小物

器が好きです。
1枚1枚が持つ色や風合い。
真っ白に見える器も、
その1枚にしかない表情や温度があります。
ここに、どんな料理を組み合わせよう？
そう思い描きながら器を選ぶ時間も、
たまらなく好きなんです。
器は、毎月のように通っているお店で
選ぶこともありますが、
旅先で出合い持ち帰ることも多いです。
国内でも海外でも、私が真っ先に足を運ぶのが
器やキッチン用品が並ぶお店。
少し離れたわが家のキッチンや
食卓を思い浮かべ、
「これに息子たちの好きなあのお肉のせたら
おいしそうだろうな」とか、
「ひとりご飯もこの器なら丁寧に
用意したくなりそう」とか、
ワクワクしながらも心が整う時間です。
食事は大切な人や自分を健やかにできる、
幸せにできるかけがえのないもの。
だからこそ、ひとつひとつの「おいしい」に
心を込めて食卓に並べることを大切にしています。

「クーン・ケラミック」。日常にもアートを。
キャッチーな絵柄やデザインがたまらなく好き。

ユーモアとぬくもりを感じる。
中野加奈子さんによる「ビルビラ（Birbira）」ブランド。

黒の器が好き。
どんな料理も美しく、おいしそうに見せてくれます。

パリのクリニャンクール（蚤の市）でひと目惚れした動物のナイフレスト。

「アスティエ・ド・ヴィラット」。この繊細さが丁寧に過ごす心地よさを感じさせてくれます。

陽射しや照明の光を通す影まで美しいガラスの器。
夏は涼やかさを、冬は雪のような透明感を食卓に添えてくれます。

京都の「てっさい堂」。この独特な色合いの美しさ、
繊細さと大胆さ、絵柄の意味。惚れ惚れします。

大切にしている大皿。安田奈緒子さんの作品はいろいろなサイズと絵柄を集めています。

ガラスの酒器。網目模様のぐい飲みは、長町三夏子さんのムリーニグラス。

ご飯茶碗は形も焼きもいろいろ。
小鉢にも使います。

わが家の基本調味料

毎日料理をする時に、使っている基本の調味料です。
特別なものはありませんが、おいしく、体にもいいものを選ぶようにしています。
それから、ラクしておいしい、を助けてくれるものも常備。
今もいろいろ試しながら、加わったり、入れ替わったりしています。

「さしすせそ」以外にこの本に
よく登場している調味料たちです。

基本のトマトソース（カゴメ）

トマトソース

トマト缶の水煮から味をつけて仕上げることもありますが、この基本のトマトソースの優秀さに、今はほぼこれに頼っています。もうひとつ「濃厚あらごしトマト」もわが家になくてはならないトマト缶。

にんにくおろし／おろし生姜
（ともにユウキ食品）

おろしにんにく
おろししょうが

もちろんおろしたては、おいしいし風味もいい。でも、ただすりおろすだけなのに、なんでこんなに面倒なんでしょう。そんな時のために、この2つを常備しています。

松田のマヨネーズ辛口／甘口
（ななくさの郷）

マヨネーズ

あまり酸味が強くないタイプが好きなので、よく購入するのはこちら。辛口、甘口はその時の素材によって選びます。

スパイス

たったひとふりで味が深まるスパイスの魅力。キッチンの戸棚には、ずらりと数十種類のスパイスが並んでいます。たとえば焼くだけの料理も、塩こしょうに加え、スパイスをちょっと足してみる。それだけで食べ慣れた料理の味がグッと洗練される。あとひと味、が簡単に解消され、さらにおいしくなるんです。ガラス瓶の中のさまざまな色や形のスパイス。眺めるだけでワクワクします。

こめ油（つの食品）

油

サラダ油は、国産の米油を使っています。酸化しにくく、もたれにくい、また冷めても油臭くなりにくいので、お弁当にも向いています。そのほかには、香りのいいごま油と、エキストラバージンオリーブオイルなどを用意して、料理や気分に合わせて使っています。

薄力粉

頻繁に使う薄力粉。溶けやすく、まぶしやすいように、顆粒タイプを使うことが多いです。使いやすいよう片手でふれるボトルに詰め替えています。できるだけ手を拭いたり洗ったりしないで、サクサク料理が進むよう。いろいろ工夫しています。

バター

有塩、無塩、両方常備。バターの風味がダイレクトに生きる料理は、「エシレ」を使うことが多いです。

す

酢

ドレッシングや酢のものなどに使う、酢。まろやかでコクがあるものを選んでいます。

富士酢プレミアム（飯尾醸造）

せ

しょうゆ

普段は濃口。薄口も常備。

そ

銘醸（武田味噌）

味噌

お味噌汁が好きな息子たち。お味噌も写真の「吟醸」、とあと2つの銘柄をリピートしています。お味噌によってお料理やお味噌汁の味が変わるのも味わい深い。具材や料理によって数種類を合わせる楽しさも。また韓国のお味噌もよく使います（p.27豚しゃぶなす味噌丼、p.72韓国風お味噌汁）

さ

砂糖

白砂糖ではなくて三温糖。煮ものや照り焼きなどにコクがでます。

みりん

本みりんを数種類常備。

し

塩

料理用、おにぎり用、天ぷらや焼きものにつける塩、それぞれこだわりのものを使っています。忙しい時に一番使うのがこれ、塩とこしょうがミックスされているもので、パパッと味つけできるのがとにかくラク！ 毎日の中でのこの“ひとラク”が重要です。

岩塩こしょう（水牛食品）

肉や魚を焼く時は塩こしょうの代わりにミックスハーブ入りの塩もよく使います。右はアメリカ生まれ。岩塩と6種のハーブのミックス。クレイジーソルト（日本緑茶センター）。左は和洋中なんでも合う、山椒入りのスパイスソルト。鎌倉スパイス（チー坊ノワール）。

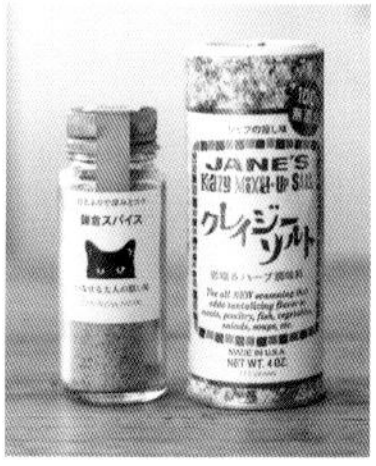

よく使うキッチン道具

キッチン道具は使いやすさと仕上がりのおいしさ重視で選びます。
毎月足を運ぶお店では、常に「いいもの」を探し続け、
ネットや料理のプロの友人たちからの口コミも参考にしています。

ご飯専用の冷凍保存容器

毎日のように通っているご近所のキッチングッズのお店で見つけてからずっと使い続けています。大盛りと普通盛り用と2サイズ。このままレンジで温めるだけで、炊き上がりのふっくら感が再現できるおいしい容器。常に5、6個を冷凍しているけれど、息子たちがあっという間に食べ尽くします。炊く時間がない！という時にも安心。

鍋

鍋は料理によって使い分けています。

火鍋、しゃぶしゃぶ、すき焼き。

鍋はその料理の一部。だから一番合う鍋を使いたくて、いろいろと集めています。

稲葉直人さんの土鍋（左上）は、色もフォルムも触り心地もすべて温かみがあってとても好きです。

フライパン

フッ素樹脂加工で、お手入れがラクで収納もコンパクトになる、ハンドルがとりはずせるタイプを使用。浅型の直径20㎝、24㎝、28㎝、深型（中華鍋）などを用意しています。

私が使っているメーカーは、フランスのクリステルです。

すり鉢とすりこ木

そのままテーブルに並べても美しいすり鉢とすりこ木を探していて、「リビング・モティーフ」で出合ったもの。すりたての香りと風味のよさ。

食卓が豊かになります。

揚げ鍋

揚げ鍋は、料理家・栗原はるみさんプロデュースのダブルフライヤー。2つの鍋と揚げ網、濾し網がセットになっていて、使いやすいので愛用。

鋳物ほうろう鍋

厚手の鋳物ほうろう鍋は重いけれど、煮込み料理は時短でしかもおいしく仕上がります。ストウブ（写真）はカンパーニュというナチュラルな色で統一して、楕円や丸形など数種類持っています。ほかにもル・クルーゼも同じホワイトをセレクト。

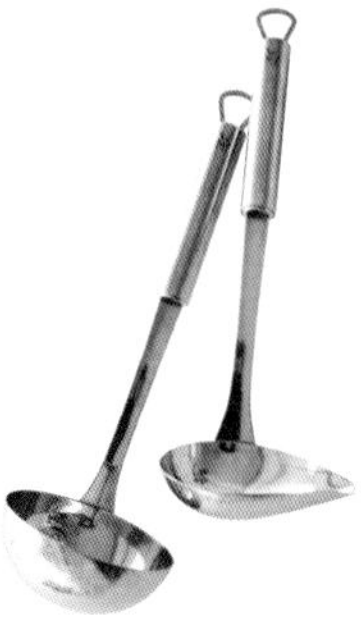
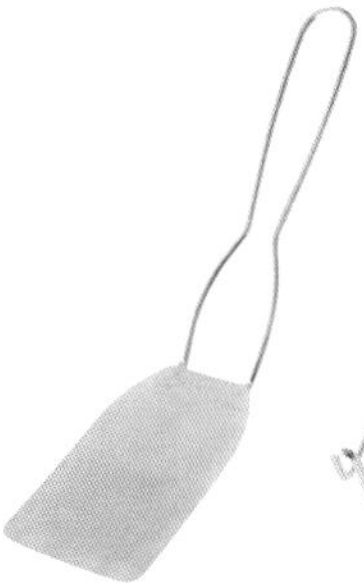
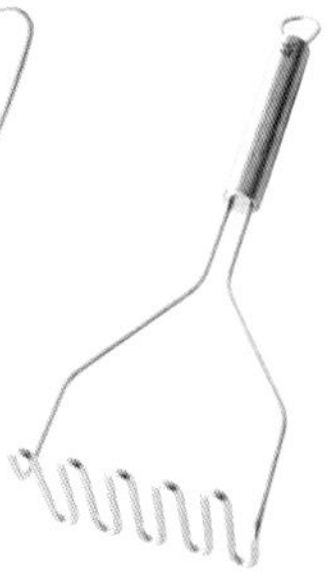
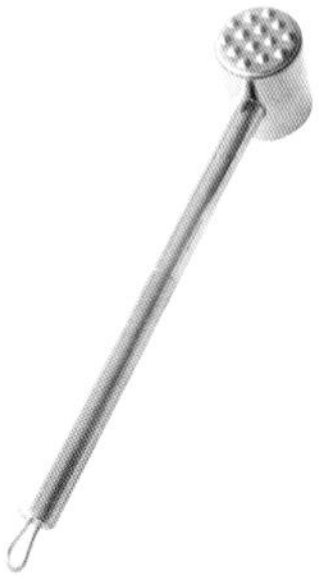

キッチンツール

お玉、レードル、ポテトマッシャー、ミートハンマー（肉叩き）、フライ返し、ナイロンヘッドトング、など、調理器具は、ほとんど「リビング・モティーフ」で揃えています。

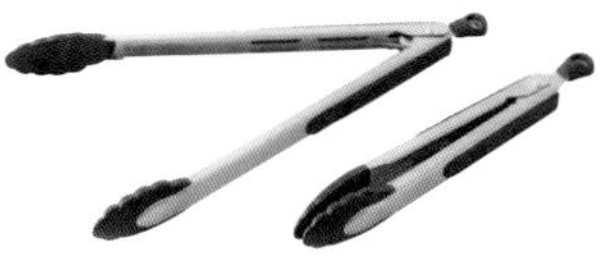

卵スライサー

ゆで卵を誰でもきれいに半分に切れる優れもの。

小さなストレスがなくなります！

玉子半ぶんこ（大泉合成）

美容と健康

美容家として
健康や美容のために
常備しているもの、
キッチンや食卓の愛用品をご紹介。

ランチョンマット

わが家の食卓に欠かせないランチョンマット。リネンやコットンなどの布製から汚れに強くて扱いやすい樹脂瀬、雰囲気のある木製のトレーなどいろいろ集め、料理に合わせて選んでいます。朝は気持ちが明るくなるよう、優しい色を選ぶようにしています。

エプロン（ドレッセン）

エプロン

エプロンは、私のユニフォームのようなもの。家では体型管理と動きやすさ重視で毎日レギンスをはき、Tシャツにエプロン。

ジャバジャバ洗っても丈夫でかわいいエプロンを愛用しています。20着くらいある中から、息子たちともシェアしているものがこれ。なんか「ふふふ♡」となるフレーズがいい味です。

プリティーネ
（ダンロップホームプロダクツ）

グローブ

食器洗い、靴洗い、掃除と水仕事に欠かせないグローブ。小さく華奢な手にもぴったりフィット、手首から水も入らない設計の優秀グローブ。ハンドクリームを薄く手に塗ってから着けると、手がふっくらツヤツヤになります。

左：アトリックス メディケイティッド エクストラクリーム、右：アトリックス ハンドミルキーローション（ともに花王）

ハンドケア

水仕事はとにかく手が荒れる。ポイントは前後にハンドクリームを塗ること。そして、できるだけこまめに塗る。水仕事用クリームは特に頼りにしています。

ポーラ ザ ハンドクリーム N
（ポーラ）

ハンドクリーム

ベッドサイドに常備しているハンドクリーム。「きょうも一日お疲れさま」と声をかけながら指先から肘までたっぷり塗り、なじませて寝ます。

昆布の水塩（松前屋）

塩分

昆布、鰹節、帆立貝柱、椎茸などの出汁のうま味入りの液体塩。スプレータイプで素材全体に少量で下味がつけやすく、旨みもあるので塩分の取りすぎを防ぎます。塩分15%、17%、25%があって使い分けています。

左：ヤーコンシロップ（よしとも）、右：有機アガベシロップ ゴールド（カワワ）

糖分

食後の血糖値上昇値GIが低いシロップは、健康やダイエットの味方。オーガニックで味がいいものを常備。使い方はお砂糖やメープル、はちみつなどと同じです。

ほんとうにおいしい青汁 by Megumi Kanzaki(サイバーエージェント)

乳酸菌

健康の源、腸活のために、私がプロデュースしたこだわりの青汁。生きた乳酸菌と栄養たっぷりの大麦若葉入りで、さっと水に溶ける粉状です。毎日飲み、料理にも使います。

epilogue

息子たちに、簡単なレシピを書き残しています。

「これ、おいしい！」と言ってくれたものから、秒でお皿が空になるもの、「あれ食べたい」とリクエストが多いもの。食べる様子を見ながら、書き足しています。

以前、あるテレビ番組で、「神崎さんにとっての料理は？」と聞かれたことがありました。

私にとっての料理は、息子たちへのラブレターのようなもの。言葉にすると、少々気持ちの悪いものですが（笑）。でも、そうなんです。

頑張れ！頑張ったね！

お疲れさん！大丈夫だよ！

いろいろな気持ちをごはんに託しています。

いつか私がいなくなった時にも、母さんの味で、ちょっと元気がでたらいいな、と、思っています。

最後に、料理は、女性だけの役割ではないと思っています。作らなくったっていいし、できる人がやればいい。

息子たちへもそう伝えています。自分の食べるものは自分で作れたらいいし、もしパートナーと生活するなら、助け合って思いやって、「おいしいごはん」を作って食べてほしい。

毎日のごはんは、生きる力です。

神崎 恵

きょう、なにを作ろう？

「さぁ、息子たちよ、なに食べる？」

料理の作り方 INDEX

＊主材料であいうえお順に分けています。

■肉

揚げ鶏のねぎソース 88
うちのカレーライス 47
ガリバタチキン 20
キーマカレー 47
椎茸コロコロメンチカツ 11
スパイシーチキン 23
だししゃぶ鍋 105
チキンのクリームソース 22
照り焼きチキンサラダ 25
トマトすき焼き鍋 102
鶏ささみとチーズの春巻き 15
鶏ささみの明太ロールカツ 11
鶏手羽元とトマトのスープ 109
鶏と卵のねぎだれ 96
鶏と水菜のあえもの 70
鶏のから揚げ　塩味 12
鶏のから揚げ　しょうゆ味 12
とん骨しゃぶ鍋 105
とん汁 73
肉の味噌漬け 86
煮込みハンバーグ 44
春雨炒め 61
ハンバーグ 44
ビーフカツ　チーズ風味 36
ビーフシチュー 93
豚しゃぶと白菜の鍋 105
豚とチーズの春巻き 15
豚のしょうが焼き 29
豚のヒレカツ 8
豚のミルフィーユカツ 10
フライパン肉じゃが 18
マーボー豆腐 98
レモンバターチキン 24
れんこんつくね 26
ローストビーフ 101
ロールキャベツのグラタン 50
ロールキャベツのクリーム風味 50
ロールキャベツのコンソメ味 48
ロールキャベツのトマト味 52
ロールキャベツのミートソース 53

■魚介

エビと長いも、青じその春巻き 15
エビマヨ 37
ガーリックシュリンプ 89
金目鯛の煮つけ 35
サーモンのムニエル
タルタルソース 30
シラスパイ 66
白身魚のカルパッチョ 92
ちくわのアオサ揚げ 96
メカジキの粒マスタードソース 33
メカジキの照り焼き 35

■卵

だし巻き卵 76
卵スープ 40
目玉焼き 77
ゆで卵 77
ゆで卵の香味だれ漬け 65

■野菜&フルーツ

アスパラのきんぴら 56
いんげんの明太子あえ 71
韓国風お味噌汁 72
きゅうりのピリ辛マリネ 71
空心菜炒め 95
グリーンスムージー 107
ごぼうとにんじんのきんぴら 56
ごぼうのきんぴらの卵炒め 58
サンラータン風スープ 108
ジャーマンポテト 64
シンプルサラダ 68
ズッキーニのナムル 58
スティックサラダ 68
玉ねぎのソテー 119
チンゲンサイのきんぴら 56
トマトときくらげの卵炒め 98
トマトとチーズ、バジルの春巻き 15
長いもとチーズの春巻き 15
なすの揚げびたし 95
にんじんと豚しゃぶのサラダ 110
にんじんのバルサミコ風味 119
にんじん、りんご、
オレンジのジュース 107

エプロンは、
H.P.FRANCE
(アッシュ・ペー・フランス)で
一目惚れしたものです！

〈表紙カバーのレシピ〉

豚のしょうが焼き ワンプレート

カバーは、息子たちのためのワンプレート。ご飯は山盛り(笑)。

肩ロース薄切り肉で作った豚のしょうが焼き（p.29）はたっぷり、玉ねぎのソテー（下記参照）、にんじんのバルサミコ風味（下記参照）マッシュポテト（p.63）、紫キャベツのマリネ（p.80）を盛り合わせて、ブルーベリーとラズベリーを添えました。必ず何かフルーツも添えるのも私流です。

玉ねぎのソテー
材料と作り方（4人分）

1. **玉ねぎ1個**は薄切りにする。**サラダ油大さじ½**で炒める。
2. しんなりしたら、軽く**塩こしょう**で味を調える。

にんじんのバルサミコ風味
材料と作り方（作りやすい分量）

1. **にんじん1本**はピーラーで薄切りにして**塩少々**をふり、しんなりさせる。
2. **白バルサミコ酢（なければ黒でも）大さじ2、オリーブオイル大さじ1、はちみつ小さじ1**を加えてあえる。
3. 好みであら切りにした**くるみ大さじ1、レーズン大さじ1**を混ぜる。

＊p.29は、にんじんを細切りにして、レーズンとくるみを入れずに作る。

なすのトマトソース……39
豚しゃぶなす味噌丼……27
フレンチトースト……83
フルーツのオープンサンド……82
ブロッコリーとシラスのペペロンチーノ……39
帆立貝柱のおかゆ……78
ホットサンド……80
緑豆と冬瓜のおかゆ……79

■ソースなど

カレーマヨソース……68
クリームソース……22
香味だれ……65
玉ねぎドレッシング……111
タルタルソース……30
漬けだれ……95
粒マスタードソース……33
豆腐クリームソース……68
ドレッシング……68
ねぎソース……88
ねぎだれ……96
ハンバーグソース……44
マヨネーズソース……25
味噌だれ……86
明太マヨソース……68
レモンバターソース……24

■その他

春巻き……15
パプリカのきんぴら……56
ブロッコリーのアーリオ・オーリオ……59
ベリーとカッテージチーズのサラダ……111
ベリーベリースムージー……107
ポテトグラタン……63
マッシュポテト……63
焼きなす……96
野菜の簡単揚げびたし……60
野菜のポタージュ……108
紫キャベツのマリネ……80
れんこんのきんぴら……56
れんこんのチーズ焼き……59

■ご飯／パン／麺

カプレーゼのブルスケッタ……92
かぼちゃとなつめのおかゆ……79
ガーリックトースト……67
ガーリックめし……67
カルボナーラ……38
キムチチャーハン……40
クロワッサンのクイニーアマン風……82
三色そぼろ弁当……86
シラスとカラスミのブルスケッタ……92
シラスのおかゆ……78
ステーキ弁当……87
スパムおにぎり……89
高菜明太チャーハン……40

神崎 恵
Megumi Kanzaki

美容家。1975年神奈川県生まれ。美容誌をはじめ、『ESSE』（小社）など多くの雑誌で連載を持つほか、企業のタイアップやイベントの出演も多数。また、コスメブランドのアドバイザー、アパレルブランドとの商品開発など活動の幅を広げている。3人の息子をもつ母として、日々の暮らしや美容情報満載のInstagramはフォロワー数70万人超え。現在は神崎美容塾の塾長として、後進の育成にも尽力している。書籍も数多く執筆し、著書累計発行部数は170万部を突破。料理本としては本書が初。
Instagram megumi_kanzaki

装丁・デザイン
野澤享子（Permanent Yellow Orange）

撮影
料理／山川修一　難波雄史
人物／花盛友里

ヘア
津村佳奈（Un ami）

調理アシスタント
村上有紀　金子浩子　林 輝美

DTP制作
伏田光宏（F's Factory）

校正
植嶋朝子

Special thanks
岸本佳子（Numéro Tokyo ファッション・ディレクター）

企画プロデュース
田中杏子（Numéro Tokyo 編集長）

編集
坂口明子

神崎 恵のおうちごはん
—さあ、なに食べる？

発行日　2024 年4 月30 日　初版第1刷発行

著者　神崎 恵
発行者　小池英彦
発行所　株式会社 扶桑社
〒105-8070
東京都港区海岸1-2-20 汐留ビルディング
電話 03-5843-8582（編集）
03-5843-8143（メールセンター）
www.fusosha.co.jp
印刷・製本　大日本印刷株式会社

定価はカバーに表示してあります。

ISBN978-4-594-09521-5